AQUARIUS

AQUARIUS

AQUARIUS

AQUARIUS

Catcher

一如《麥田捕手》的主角，
我們站在危險的崖邊，
抓住每一個跑向懸崖的孩子。
Catcher，是對孩子的一生守護。

梁旅珠教養書

教出錄取哈佛、史丹佛七大名校女兒的教養祕笈

梁旅珠 著

【前言】女兒來自史丹佛的一封信

二〇一一年五月底，在女兒于珺赴美讀書將滿一年之際，我寫了一封短信給她，問她這一年的大學新鮮人生活，跟期待中一樣嗎？可有什麼感想？

平常的于珺惜字如金，不論是應答或寫信都很簡短，但我這次的問題似乎是直接問到她心坎裡了，意外收到洋洋灑灑的一大篇回覆。或許正好在期末考前，可以看出她前半段雖然很努力的用中文回信，後面一半還是匆促的用英文打完，我從中摘錄如下：

唯一跟期待一樣的，就是知道會很精采。或許應該說，「知道會很精采」是我唯一的期待，因為所有其他的細節，在沒有來之前都太難想像。

學校的照顧、自我的期許和同學的互相勉勵，讓每天生活都滿滿的，每一分每一秒都是一種成長、一種享受。走在比度假村還美的校園裡，無比幸福！由於住在SLE宿舍，在餐桌上、房間、交誼廳，甚至廁所內，無論是關於未來、關於盧梭、佛洛伊德、馬克思或可蘭經，哪裡都能參與或聽到很有深度的談話。

能夠跟世界各地來的精英住在一起，隨時隨地體驗文化衝擊，是一種享受。

能夠跟一群很有理想的朋友一起學習成長，是一種享受。

知道學校裡有很多身為世界權威的教授，只要我發一封email求見，就會立刻撥空指導我，是一種享受。

能夠在來到Stanford的第一個學期，就跟喬治克隆尼講到話握到手，還合影留念，是一種驚喜。

學校提供的學習機會多到讓學生覺得，不論怎麼選擇都有所損失，是一種奢侈。

多睡一個小時，都會覺得可能錯過了學校生活的精采，或浪費了什麼，是一種幸福。（雖然我知道你一定會說，睡眠不足實在不是一種好現象！）

Most important of all, you can find home in each other, among your dorm/club friends, students at Stanford, and the community as a whole.

So there is an event called "Spotlight On" in our dorm. People take turns, two per week, to tell their life stories in the lounge and other students can ask questions. I remember I was asked, "What's your best memory at Stanford?" I said, "There are no best memories here at Stanford, because every moment is a best memory!"（翻譯如下）

最重要的是，小至室友、社團同學，大至整個學校都給人歸屬感，能夠找到屬於自己的一片天地，獨一無二的家。

宿舍裡每週都會舉辦一個名叫「Spotlight On」（聚焦人物）的活動，每次兩個人，到交誼廳和宿舍同學分享個人的成長故事，並接受大家「身家調查」及「嚴格拷問」。還記得輪到我時，有人問我：「你在史丹佛，到目前為止最美好的回憶是什麼？」我說：「因為每一分每一秒都太珍貴美好，以至於我在史丹佛找不出所謂最美好的回憶！」

于珺信中提到的SLE（Structured Liberal Education），是史丹佛大學專為大一新鮮人安排的組合性人文科學課程，將大學四年必修，包括文學、哲學和藝術等所有人文課程集中整合，並提供寫作能力的加強訓練。學生要經過申請審核，才有機會進入這個名額相當少的program，每週有固定的討論會與活動。入選的學生必須住在指定的宿舍內，同住的還有專屬的教授和助教學長姊，讓課程與生活更緊密結合。比起分散個別選修的人文課程，SLE提供了整合的授課內容、更多更深入的討論和練習機會，也代表了學校非常重視的一種觀點，那就是不論主修任何學術領域的大學生，都應該要先具備相當的人文素養。

于珺與喬治・克隆尼合影。

于珺一直在中文學習系統中成長，初到美國就選擇參與這樣的課程，挑戰性很高。不過爸爸和我還是鼓勵她爭取這個難得的機會，因為我們希望她了解，進了大學之後，尤其是在如此自由多元又無限寬廣的學習環境中，成績與分數不再是生活中最重要的事。課堂之外，從人、從事、從環境，都可以是最好的學習。

一年以來，關於繁忙的課業和社團活動，我沒聽她抱怨過半句，或喊過一聲累。對身邊來自於世界各地的優秀同儕，她沒有透露過一絲忌妒或嫌怨，我聽到的總是對同學優異表現的讚嘆和朋友間的生活趣事。能夠養出這樣一個樂在學習又懂得欣賞別人的孩子，而不是一個一心只想踩過別人的競爭機器，我對上蒼的厚愛心存感謝。對我來說，她將來能成就什麼樣的表現一點也不重要，因為我對她的人生期待只有平安健康、生活快樂與心靈富足……而這些，我相信她已經有能力去追求與達成。

二〇〇九年十二月，于珺還在北一女高三時，就比一般正常申請程序提早申請上了史丹佛大學（Stanford 的early action），因而上了報紙。四月初，她更因為申請上前七志願美國大學的百分百命中率（史丹佛、哈佛、麻省理工學院、普林斯頓、耶魯、哥倫比亞、賓州大學）而受到媒體青睞。雖然我不是教育專家，但似乎很多人對我教育孩子的方式感到興趣，有許多家出版社因而找上門來，連親友們都鼓勵我出書和大家分享我的經驗。

或許因為兒女課業行為表現向來不錯，朋友們觀察我這媽媽好像當得很輕鬆，即使三天兩頭出國，小孩都自動自發不用管，早在兩個孩子上國中以後，就開始有出版社找我出親子教養書。當時我總是玩笑回說：「我不夠資格吧？女兒還沒上北一女呢！」四年前女兒考上北一女，我只好換個推託藉口對出版社說：「不好吧，我的孩子還沒上台大、哈佛啦！」

其實，對出書猶豫的真正原因，是我覺得關於教養，本來就是很個人的事。不同的環境，各異的條件，獨一無二的孩子……我行得通的方法，別人不見得適用。我不是教育專家，不希望善意的經驗分享最後被誤會為自以為是、大言不慚，更不希望單純的家庭生活因此公開。

帶孩子，每個人都是從沒有經驗的第一次開始。即使生第二個、第三個，之前的教養經驗也不見得合適，所以整個教養過程對做父母的來說，其實是一個不斷學習與應用、觀察與修正的過程。回頭看來，旁人或許以為我很有計畫的從小培養，但其實並非事事都在算計之中。我深深了解做父母的，對孩子未知的未來總是有很多的擔憂與焦慮。

不論站在人生的哪個時間點，往前看，我們都有種種的期待與不安；回顧時，也總有很多的欣慰或反省。即使去年姊姊申請出好成績，今年陪著弟弟走同樣的一段過程，不一樣的孩子，不同的時空環境，還是會有許多差別。終於，我說服自己回顧並寫下近二十年的人生故事，因為我相信我可以讓自己的經驗分享，並不是展示給讀者一個用來複製的模式，而是提供一個參考樣本，協助大家思索，並找出最適合自己的方法。

于珺的好表現得到了大家的關注，但實際上我們倆都知道，比起真正天資聰穎的孩子，她其實非常平凡、普通，只不過她的運氣比較好，不足為外人道的小小努力，就得到了出乎意料的回報。雖然，許多人有興趣的重點，在想了解如何讓孩子好好用功讀書、如何栽培出類拔萃的精英，但我更急切想跟大家分享的，是我在孩子生活教育與觀念養成上的付出與用心，以及滿滿的收穫。

天才和第一名的人生真的值得羨慕嗎？一個天賦異稟的人不一定能成為人生的智者。比起一個生活在別人的掌聲與期待中，不凡卻寂寞的佼佼者，我寧願我的孩子有正常的熟成期，讓生活交織著滿溢的友情，以及從努力付出所得到的富足與回饋；我希望我的孩子能平凡踏實的從學習中得到智慧，讓自己的人生過得幸福快樂。

史丹佛大學校園。

目錄

卷三／教育孩子之前，先教育我自己

卷四／學習是一輩子的事，提早讓孩子學會別人永遠拿不走的能力

【附錄】高于珺錄取美國七大頂尖名校通知書

卷一／

把我最珍貴的資產——時間，給孩子

我為什麼自己帶孩子？

我小學一年級的時候，母親曾經花不少時間陪我一筆一畫的寫字，告訴我字的結構與如何才寫得漂亮的基本概念。

我記得她帶著我做的許多大小事……每多活一天，我對這些滿是滋味的回憶就多喜歡一些。

TVBS「看板人物」訪問女兒和我的節目播出以後，很多朋友都知道了她申請美國大學，同時被七所名校錄取的事。多數人碰見我，除了恭喜，就是好奇我怎樣教小孩的。只有一位老同學見到我，竟表情認真的問我說：「你生女兒的前一個晚上，有夢到飛龍騰空而過嗎？」

民國八十年，是新潮愛美的準媽媽們開始流行算命擇日、剖腹生產的年代。一個九月底的凌晨，我選擇自然產，在陣痛開始四小時後很順利的生下女兒。前一天晚上

于珺在「看板人物」節目上揮毫。

我一夜無夢，生產當日無風無雨，很可惜的，天空也沒有奇景異象。

就像所有家庭一樣，據說女兒被帶進嬰兒室時，隔著玻璃，婆婆和老公一邊錄影留念，還不忘一邊數著孩子的手指頭是不是各五根，就怕孩子有先天性的缺陷。從陣痛、破水到分娩，我沒有打麻醉藥，因此整個過程歷歷在目。

經過那一番折騰，我確信這個後來被大家稱為「外星人」的小孩，是我懷胎十月生下來的……除非，在醫院有外星人臥底把「她」掉了包！

我媽一早就趕來醫院看我。她一踏進病房，我立刻忍

媽媽與我。

不住狂呼：「媽媽……以前我如果有什麼不乖或惹你生氣的地方，對不起！請你原諒我！」

她一臉愕然，聽我歇斯底里的繼續把理由喊完：「生孩子，實在是太、痛、了！」

爸爸也很偉大，但沒有一個男人有機會經歷那種被迫使盡全身力氣將孩子推離自己、肉體撕裂的極大痛楚。

從生命開始孕育的數週後，一個母親就開始感受到全身性的微妙變化，一種發自內在，滲透到所有細胞的生命力量。當然，更沒有任何男人可以親身體會，這種跟孩子十個月心血相連的臍帶關係。所以，在我懷孕之後，就決定要自己帶孩子，因為我相信沒有人比親生母親更適合照顧嬰幼兒期的小寶寶。

生產的過程，只有讓我對自己的選擇更加堅定——我發現，**對孩子最根本而巨大的影響力，其實從胎兒細胞形成的那一刻起，老天就已經把它交給了孩子的母親。**

那是我生平第一次，對我母親有非常深刻而且不一樣的感受。

用心，陪孩子成長

我媽媽是全職家庭主婦，同時也是受過大學教育的現代母親。她和我父親是在大學時自由戀愛，克服了不少困難和阻礙才結婚的。婚後她跟著父親回到屏東家鄉高樹，曾經擔任國中老師；她說當時的高樹村很鄉下，對外交通連座橋都沒有，還得靠竹筏。後來我父親轉而從事旅遊業，他們就帶著我兩個哥哥北上，全家只有我在台北出生。

來到台北以後，我母親就放棄工作，專心在家帶孩子。

我有很深的印象，即使在台北，小時候填學校的家庭資料表時，意外發現同學母親有大學學歷的並不多。我曾經問過她，當年放棄工作有沒有遺憾。她笑著說：「當然有！除了多生很多氣，還少了好幾百萬的退休金！」

我童年回憶的畫面裡，充滿了母親的身影，溫暖而清晰。

我記得大約六歲時，有一次我們母女倆去逛街剪布一下午回來，她才發現忘了帶鑰匙出門，我蹲在家門口等，看著她匆匆忙忙帶鎖匠回來的情景。

我記得有次發燒躺在床上，她摸了我的頭之後出門，去東門市場買了一顆美國進口的、很貴的蘋果給我「一個人」吃。

我記得小學一年級的時候，有一天下午我在巷口玩，媽媽用跑的出來叫我回去接同學打來的電話……那是我家開始有電話的第二天，我此生接到的第一通電話。

我記得當我要去讓小販爆米香時，她都用克寧奶粉的罐子裝米給我。我記得她做的鳳梨冰的味道和口感，也記得她烤的蜂蜜蛋糕的形狀和香氣。我記得她帶著我做的許多大小事……每多活一天，我對這些滿是滋味的回憶就多喜歡一些。

只要有電視節目製作人要我邀請最感謝的人一起上節目，我第一個反應一定是問：「可不可以找我媽媽？」

把最珍貴的，給孩子

一直到今天，我仍深深感受到我媽媽對我的影響；即使相隔數十年，我連教養孩子的方式，跟她對我的教養方式也沒什麼兩樣。有些「橋段」甚至連台詞都沒變，像「碗裡的飯菜沒吃乾淨會嫁個滿臉麻子的老公」，這種可能不為現今教育專家認同的恫嚇式教養方法，卻讓我至今仍保持著非常珍惜食物的態度與習慣。

我小學一年級的時候，她曾經花不少時間陪我一筆一畫的寫字，告訴我字的結構與如何才寫得漂亮的基本概念，而她那一套方法，十幾年前我也幾乎照本宣科的拿來教我的兒女。

除了比我媽多讀了點書，我的個性沒她那麼好，我的手藝更是差她十萬八千里，所以，我想我一輩子都沒辦法成為像她那麼棒的母親。**我唯一學得來的，就是和她一樣，把我一生最珍貴的資產——時間——給我的孩子。**

媽媽常說，我女兒比我優秀。她最愛舉的例子是，女兒從小生活就很有紀律，不像我小時候滿懶散的，很難叫起床。

每次我媽走進鐘錶店，劈頭就是對店員說：「請把你們店內叫得最大聲的鬧鐘賣給我。」而我還是一樣，用三個鬧鐘也叫不醒。我媽一大早就必須一邊做早餐，一邊伴著鬧鐘鈴聲一直狂叫：「旅珠！旅珠！」所以她總是說，她要把「旅珠旅珠」這個聲音錄下來放一千遍。

過去這些年來，我出國請她來家裡住，幫忙陪伴孩子時，她發現每天早上，我女兒乖得很，輕聲叫一下就起來了。

最近她在電視訪問裡，又再次拿這個例子強調我女兒比我優秀，我就回敬她一句：「喔！這樣表示我是比你好的媽媽，因為我教得比你好！」哈哈！

我邀請媽媽參加「世界真奇妙」，那是我交出主持棒前的最後一次錄影。穿白上衣的是高中導師張惠芳女士。

我的零歲教養

我才坐完月子，女兒就可以一覺睡到天亮！連我母親來看我們時，都很驚訝女兒的狀況這麼穩定。

我發現只要我專注而堅持，要協助嬰幼兒養成一些生活習慣，其實非常容易。

原來，一個健康的新生兒到這個世界上，就像一張白紙一樣，並沒有帶來任何「習慣」。

父母，或者是養育者，才是那個選擇並決定讓孩子養成哪些習慣的人！

把女兒從醫院帶回家的第一週，大概是我生平最沮喪的一段時間。

我從小事事順利，常覺得只要我認真做，再棘手的事也難不倒我，但這個從醫院領回來的小ET，卻把我給整慘了。

抱著女兒一起哭

二十年前還不流行坐月子中心，也沒有現在非常普遍的月子餐宅配服務。我生產完住院時覺得還算輕鬆，因為在醫院有得吃，嬰兒在育嬰室有護士照顧，回到家才是考驗的開始。

坐月子時，雖然請了一位歐巴桑來家裡幫忙煮飯，但小貝比的大小事全由我這個菜鳥媽媽一手包辦。

我懷孕期間讀了不少書，也有了心理準備，但當自己生活作息的主導權，忽然交到了一個真「小人」手裡——她想哭就哭、想鬧就鬧，卻完全無法溝通——所有紙上談兵的方法，手忙腳亂中似乎一點也派不上用場。

當時我接觸到的育兒書只告訴讀者，新生兒三小時餵一次奶，滿月後約四小時一次，然後隨著嬰兒成長，餵奶的間隔會因食量增加慢慢延長。

幾天下來，女兒還是像鬧鐘一樣三小時就哭，白天偶爾還會多睡一會，但半夜那一頓卻從來不馬虎。

由於每三小時就要餵一次奶，我一整天只能斷斷續續的睡一兩小時，白天又要應付關心來訪的親友，幾天下來，睡眠不足把我弄得鬱悶極了。

回家大約六、七天後的一個凌晨三點多，女兒吃完奶，我幫她拍過背，也打了嗝，她只瞇眼五分鐘就醒來，接下來再也不肯睡覺，沒一會兒竟在我懷裡哭鬧起來。

我疲憊得心煩氣躁，忍不住狠狠打了她大腿一下，結果她哭得更用力、更大聲！我又累又急，不知所措，難過得跟著放聲大哭，就這樣母女抱著一起哭到她累才停止，兩人都筋疲力竭到無法動彈，於是維持著相同的姿勢，坐在沙發上睡到天亮。

現在回想起來，我對當時印象最深刻、覺得最不可思議的一點是，我家老爺睡在同一個房間裡，母女倆那樣嚎啕大哭，他竟然完全沒被吵醒，這八風吹不動的功力也實在太高強了！

第二天早上起來全身痠痛僵硬，我決定不能再這樣下去了，一定要想辦法解決。

自創「調整嬰兒作息法」

雖然我看過的育兒書並沒有教我調整嬰兒作息的方法，但我仔細想過，疲勞是我失去耐性變得焦躁的元兇。**假設要為媽媽爭取休息時間，就必須逐步拉長餵奶的間隔，尤其是半夜到天亮這一段。**問題是幾天經驗下來，我發覺如果每次女兒哭我就去抱她、餵她，她就會習慣性的同樣時間又醒來。倘若我選擇順著她的步調繼續下去，可能在她還沒調整過來之前，我已經先累垮了！

所以，要拉長間隔，就需要拖延戰術；要拖延，就必須耐住性子，讓寶寶多哭一會兒、慢一點兒再喝奶。問題是，到底可不可以放著嬰兒哭呢？

有些專家說，嬰兒哭是不安與孤獨的情緒表現，如果常常不理會嬰兒的哭泣，不

立刻抱他給他溫暖，會讓他沒有安全感，日久可能造成心理問題。但我也記得曾經看到過，確定嬰兒健康和安全都無虞的情況下，適度讓嬰兒放聲哭一哭，可以訓練寶寶的肺部，並達到讓寶寶運動的效果。

我自己思索得到的結論是，哭應該只是新生兒與生俱來、第一項跟外界溝通的能力；如果在我的全心關注下，讓寶寶稍微哭一哭，我還是會給她足夠的擁抱和溫暖，應該不會有大礙吧?!於是我自己想了一些可能行得通的方法，跟我先生討論之後，得到他的同意與支持，當天晚上就開始實施。

我的拖延戰術以十分鐘為一個單位。每一次餵奶，我都從女兒開始哭的時間算起（剛睡醒時發出一些嗯嗯啊啊的聲音不算），視女兒哭的「力道」至少延後一到兩個時間單位再餵。

我會先去檢查有沒有什麼狀況，如果尿布濕了就先換，寶寶可能會覺得比較舒服而暫停哭泣，我就從她再次哭的時間開始計時。

如果她在預計時間之前就哭，我會等十分鐘之後先用奶瓶餵一點水，她可能會因為哭累了，或是暫時的飽足感而休息一陣子。

如果哭得比較厲害了，但預定的時間還沒到，我會對她唱唱歌或講講話安撫一下，直到可用的招數都出盡了，才抱起來走一走。總之，就是盡量撐到預計時間之後再餵奶。

我把拉長間隔的主力放在午睡和晚上睡覺的時間。希望女兒睡久一點的時段，我

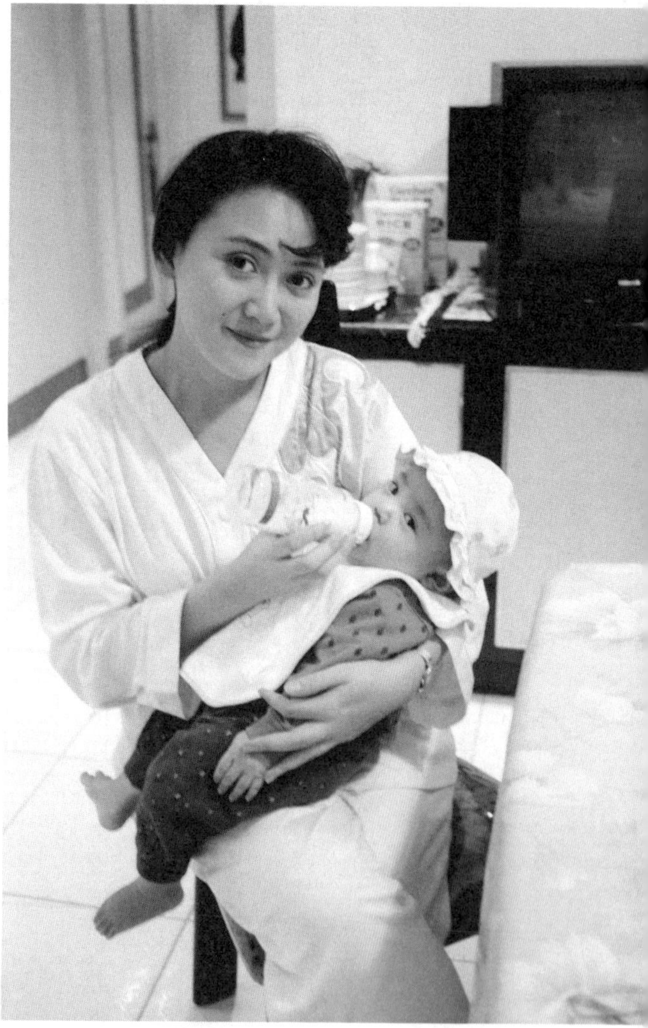
自創「調整嬰兒作息法」，成效良好。

會關燈拉上窗簾，盡量把房間弄暗；其他時段我就努力陪她玩，讓她不要睡太久。如果她睡過了預計的時間，我會想辦法把她叫醒，以免影響到下一段的睡眠。

晚餐那一次大約七、八點的餵奶後，由於這段時間有老公可以分擔陪伴小孩的責任，我們會使盡各種招數陪女兒玩累一點，讓她不要睡。

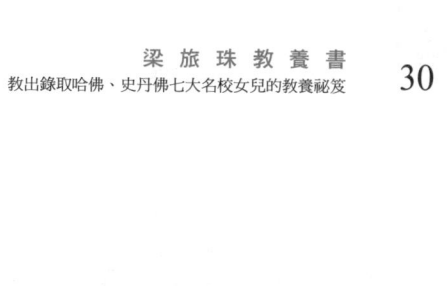

女兒滿月，就能一覺睡到天亮

我還記得當時常常一邊聽她哭，自己一邊做復原體操或大聲唱歌給她聽，母女一起「殺」時間。能這麼做的前提是必須得到家人的諒解，因為大家得一起「享受」小嬰兒的哭聲。

此外，根據之前的觀察，我發現她只要洗過澡那一次餵奶後都會睡得比較甜，所以我就把寶寶洗澡時間放在晚上十點半左右。洗完澡，稍等一會兒就可以餵奶，女兒睡了之後，我也盡快上床睡覺。

半夜三、四點這一次是最辛苦，但也是我最堅持的一個時段；無論我多累，多想馬上餵完奶火速躺下來休息，我也一定坐在女兒床邊打瞌睡，撐到我預定要餵她的時間。

由於有了目標和方法，執行起來就不再像剛回來時那樣茫然無頭緒，加上白天的種種搭配措施，才兩、三天就有明顯的進展。很快的，我就可以從一點左右睡到五六點，精神心情立刻好轉。

接近滿月的時候，餵奶次數已經減少到總共五次，女兒也可以從十二點多睡到快七點。

我才坐完月子，她就可以一覺睡到天亮，有時早上起來，還會自動「等一下」才哭呢！連我母親來看我們時，都很驚訝女兒的狀況這麼穩定。

在女兒習慣之後，一直到兩歲多她還睡娃娃床的那段時間，即使她比我早醒，她也很少哭鬧吵我起來，常常自己玩到我去抱她下床為止。

父母，是決定孩子將養成哪些習慣的人

關於我們母女這第一次的過招，我的感想是：小貝比的學習力和適應力，實在是非常驚人！我發現**只要我專注而堅持，要協助嬰幼兒養成一些生活習慣，其實非常容易**，而這樣的規律作息讓孩子有所適從，對孩子的情緒穩定似乎也很有幫助。

如今回頭看來，我的兒女從小到大都被師長稱讚個性穩重成熟，至今還能笑談媽媽在他們小時候的各種訓練如何嚴格，**顯然為孩子訂立的紀律與規範，只要能經過深思、以愛出發，適度讓孩子吃點「苦頭」，並不會讓孩子「心靈受創」**。

從這個經驗中，我深刻體會到一個關於教養的重點，那就是：一個健康的新生兒到這個世界上，就像一張白紙一樣，並沒有帶來任何「習慣」。父母，或者是養育者，才是那個選擇並決定讓孩子養成哪些習慣的人！

父母的教養「分工」

父母對孩子的教養，我認為需要分工，角色也應該區分，不要重複。例如，不要父母兩個人都一起跳下去盯功課、管作息；可以依據父母的工作狀況、在家的時間和各自擅長的領域來做調配。

尊重對方的責任範圍，在孩子面前互相肯定，形成互助、互補的同一陣線。

兒子小四的時候，有一天下午我陪婆婆去醫院看診，學校保健室阿姨打電話給我，說兒子發燒了，叫我去接他回家。因為當時我們在北投的和信醫院，一時趕不回來，我就通知爸爸趕快去接小孩。

辦公室離學校只有五分鐘車程，結果二十分鐘後他打來，急呼呼的說：「我不知道兒子在幾年幾班……」

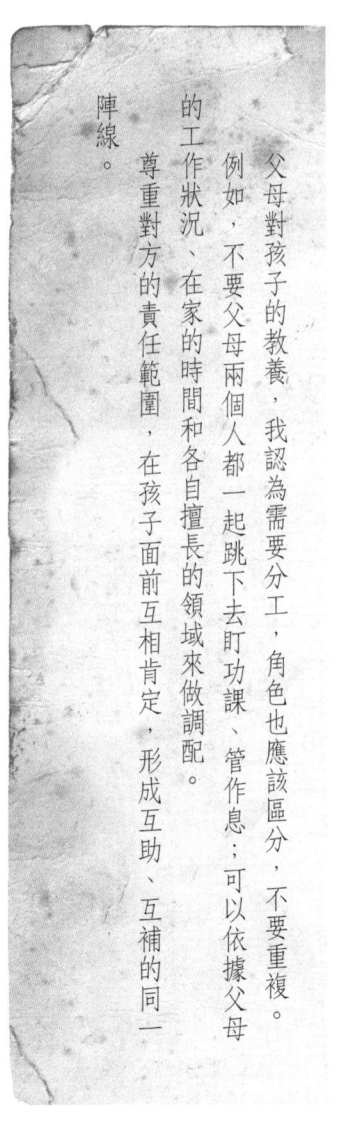

我的父母和于珺。

我臉上真的掛了三條線：「發燒的小孩會在保、健、室、啦！」

父母最不該輕忽的一門功課

一直以來，我家爸爸或許知道孩子幾年級，但從來就弄不清楚他們在哪一班。在孩子上國中以前，除了週末假期全家一起上館子吃飯、出遊，還有關於學校選擇、要不要出國讀書這一類比較重大的事情，我先生沒有管過孩

子生活上或跟學校課業相關的任何事，全部由我一手包辦。

他唯一會出現的日子只有小孩子的畢業典禮，連各類大小表演都不出席，所以以前學校日的時候，因為兩個孩子同校同時間，我只好跑攤，一邊各聽一半，或拜託我媽代表出席一邊。

對這一點，我倒沒什麼怨言，因為我父親更離譜。我十一歲的時候，父親去日本出差回來，買了一套非常漂亮的衣服給我，卻讓媽媽和我捶胸頓足、抱怨連連……因為他買的衣服尺寸是七歲的！我還記得他不好意思的呵呵笑說：「這麼快，已經十一歲了喔！」

我二哥小學時曾在一篇週記裡寫道：「我已經好幾天沒看到爸爸了。」二哥的導師還因此「約談」我母親，以為我們有什麼家庭問題。

其實原因是我父親從事旅遊業，工作時間長又應酬多，每天晚歸晚起。我小時候常常已經上床睡了爸爸還沒回家，但第二天一早上學時他卻還在睡覺，所以有時還真的好幾天碰不到面。

不過我們兄妹一直在一種幸福完整的家庭氣氛中成長，即使我父親很忙，我們從來不會感受到缺少他的關愛，我母親也成功的扮演著我們生活上的支柱。

我常覺得**對孩子來說，再認真的教養、再用心的栽培，都沒有和諧的家庭氣氛來得重要**，這是為人父母最不該輕忽的一門功課。

不管大人的世界有什麼狀況，小孩子很敏感，卻無法理解，在孩子面前應該要盡量心平氣和的處理。家庭和樂，孩子就不會有不安全感；孩子情緒穩定，身心自然健康，也不會學到惡言怨語或不良的互動模式。

孩子成長的安定力量

傳統觀念的家庭分工，爸爸就是要上班賺錢養家，媽媽煮飯帶孩子做雜務，我們家剛好比較符合這種情況。

我先生以前都不管孩子的事，在家只坐在書房電腦前忙自己的，所以我常開玩笑對他說，如果孩子在學校要畫「父親的畫像」，可能只畫得出他的後腦勺。

話雖如此，我還是很感謝他，因為他不應酬，幾乎每晚都在家，讓我在夫妻關係上不需擔憂猜疑。孩子的成長印象中，父親的角色也從未缺席，這對家庭來說是很好的安定力量。

常在焦慮煩憂狀態下的父母，如果自我控制能力不足，教養時容易流於情緒化，一不小心就會把孩子當成出氣筒。

習慣了家裡連續兩代的大男人，這幾年每次受邀演講親子教育方面的主題，我都忍不住要大大讚美前來聽演講的爸爸們，願意花時間關心孩子的教養問題。

現代夫妻的關係不同以往，很多新好爸爸非常樂於參與孩子的成長過程，父母雙方可以商量怎樣分配扮演父母親的角色，不過我還是比較主張責任需要分工，角色應該區分，不要重複。

例如，不要父母兩個人都一起跳下去盯功課管作息；可以依據父母的工作狀況、在家的時間和各自擅長的領域來做調配。尊重對方的責任範圍，在孩子面前互相肯

定，形成互助互補的同一陣線。

教養的共識和原則

回頭看來，我覺得當時先生不參與細節，讓我全權負責也很不錯。不同的人觀念總有不一樣的地方，如果兩個人都要管執行細節，很容易產生衝突。我們把大方向談定以後，他就盡量不干涉我的處理方法，這樣一來，我們就很少會為一些教養方式的小事爭執不悅。

當然，我們還是會有意見不合的時候，不過我們有一個共識和原則，就是**絕不當著孩子的面吵架，也不在孩子面前質疑另一半的教養方式**。

若覺得有不妥處，我們一定會利用孩子不在場的時候溝通討論，得到雙方可以接受的一致立場後，再由我出面執行。

習慣和價值觀的建立需要長期的一致性，如果夫妻常對孩子發出不同的指令或為教養方式爭執，小孩子不知該聽誰的，就會進而質疑父母管教的正當性，甚至利用父母的對立見縫插針找靠山，對教養來說會有長期性的不良影響。

學校老師常常稱讚我兩個孩子的個性成熟穩重，或許就是因為他們在家裡看到的父母立場都同步，有意見也是理性的討論，從來不會因看法相左，吵得面紅耳赤或吼叫甩門。

我先生心思細密，善於研究分析與長遠規劃，因此家裡所有事情的大方向都由他來計畫擬定，我則配合扮演執行者的角色。兒女上國中以後，爸爸開始會用對待大人的方式跟他們講話，有時聊生活時事，有時談人生學業的前景。

由爸爸來做這樣的事，我覺得非常恰當，因為這是我所無法表現的一種形象與姿態。做媽媽的負責孩子的生活起居不免雜務纏身，常常被迫太著眼於細節，要跟孩子談「人生大事」好像比較沒有說服力。

無縫教養，父母同一陣線

高中以後，很多抉擇都攸關孩子的未來發展，爸爸的意見參與也越來越多。孩子們都很成熟了，所以大多數的事情，我們都是全家一起坐下來討論並求取共識，同時協助孩子為自己的前途找出意義與方向。

于珺和偉庭都很喜歡這樣的談話，從中他們可以了解父母的用心，也會懂得為自己的生活和學習找出目標。

最近一位朋友聊到她認識的一對名人夫妻，說那位太太常為了先生太疼愛孩子而大吃飛醋，每每因此吵架。這樣的親子關係和家庭氣氛聽起來不是很奇怪嗎？于珺和偉庭小時候，因為我管得很嚴，也常常處罰他們，所以他們都比較喜歡跟爸爸一起玩，覺得爸爸什麼都好。我一點也不在意，因為在教養方式和策略上，我完全知道自己在做什麼——既然我不得不扮黑臉，那就由爸爸來扮白臉。

我小時候也覺得媽媽很囉唆，管東管西，還會處罰我，不像我爸那麼和藹可親，從來都不罵我。但長大以後，我對母親的敬意與愛意絕對不少於父親，甚至會更加感念她日復一日的用心與付出。

若想讓孩子健康快樂的成長，父母應該要有意識的堅定同一陣線，攜手並肩為孩子撐起一片天，有朝一日待孩子羽翼既豐，再一起欣慰驕傲的目送孩子獨立遠行。畢竟，父母子女間應該是單純的「親」與「子」兩代互動，而不是複雜的三角關係吧！

即使相片中常常只有三個人，我們都知道鏡頭外拿著相機的是爸爸。

不容妥協的教養「堅持」

要讓孩子養成好的規矩或習慣，做法其實非常簡單，就是言出必行，而且態度要嚴厲堅持。

切記不應要求孩子做難以達成，或是自己也無法堅持的事，最忌諱朝令夕改，因為規矩不被遵守或改來改去，就不叫規矩了。

許多人對小學一年級的開學日一定印象深刻，因為那畢竟是人生第一個比較可能刻畫記憶的重大事件。

我還記得自己上小學的第一天，導師穿的鵝黃色直筒洋裝，有細布條組成的鏤空燈籠袖，在墨綠色大黑板襯托下，顯得非常別致。我也記得坐在教室裡往右看，家長們擠在窗戶邊向教室裡張望的情景。

老師兇不兇？

女兒小一的開學日，我非常緊張，因為她的班導師是學校名師，也是眾所周知的「嚴師」。女兒的幼稚園在同一所學校，所以入學前，我們已經聽過一些家長轉述這位老師的「事蹟」。據說曾有一些在家比較嬌寵的孩子，因為無法適應老師嚴格的紀律與要求，開學第一天就被嚇壞了。

正式開學前，我很努力的對女兒做了一些「預告」和心理建設，好讓她有點準備。

下課後我去接她，立刻迫不及待的問：「怎麼樣？老師兇不兇？」

「不會啊。」女兒很快的回答我。

接著她忽然像找到了懸案謎底、恍然大悟一般，很興奮的抬頭對我說：「媽媽，我發現你最兇欸！跟你比，每個老師都好好喔，一點也不兇！」

孩子童言童語的回答，讓我好氣又好笑……沒想到媽媽兇還有這種「附加價值」，適應力強到連入學過渡期都幫我省了。

態度上的嚴厲與堅持

孩子小的時候，我是出名的兇媽媽，對於我要求他們做到或不准他們做的事，我

我與于珺、偉庭。

都非常堅持，除非他們有很好的理由說服我。

如果他們做錯事情，我的處罰也一定馬上就到，絕不寬貸。

女兒小學時每次作文寫〈我的家人〉，關於媽媽的那一段幾乎都以「我媽媽很兇」作為開頭。對於這樣的「形象」我欣然接受，因為那是我自己刻意營造出來的。

女兒描述的是事實，只要我在她的文字中讀不到怨憤不平，確定她沒有因委屈而痛苦壓抑就好了。

通常，她在接下來的文章中也會描述我對她的用心與付出，知道媽媽的要求是為她好。我相信父母所做的一切努力，孩子都看在眼裡，終究會了然於心。

我真的這麼兇嗎？我想那應該只是小小孩時期的一種遙遠「印象」吧。與其說「兇」，不如說我在態度上非常嚴厲而堅持。

我認為一旦對孩子訂定了規矩，就要想辦法讓孩子遵從，不然何必大費周章的設下種種限制，卻在孩子挑戰父母的底線與威信之後棄守？小孩子非常聰明，他們只要挑戰幾次成功，就清楚知道家裡哪幾個長輩的話可以不必理會。

我從結婚前在公共場所，就很怕一種不管小孩的家長，放任孩子衝跑打鬧尖聲吼叫；我更不希望自己成為另一種家長——老是追在孩子後面碎碎念著「不要這樣……不可以那樣」，一邊對周圍的人賠不是，卻怎麼樣也制止不了小孩打擾他人的舉動。

有朋友覺得很奇怪，為什麼我的孩子這麼「受教」，在外面都可以聽話不失控。其實他們上小學前，出門在外偶爾也會有high過頭的時候，不過只要我輕輕叫一聲或用眼睛餘光掃過去，他們就知道我的意思，會立刻收斂。

我常跟朋友分享的心得是，如果在家裡就管不住孩子，在外面孩子仗恃父母不好當眾開罰，絕對狀況百出。

孩子越小，越嚴格

小小孩壞習慣還沒養成以前，大人要讓孩子妥協遵從是很容易的，不過這件事的難度會隨著孩子成長與日俱增，所以孩子越小的時候我越嚴格。我盡量在很小的時候就設下規矩，讓他們學習照著遊戲規則走，看似嚴厲規矩多，但當雙方都有所依從，

于珺為部落格寫的「書法大頭貼」。

生活互動反而不費心。

他們印象中媽媽的「兇」，只是我拿來規範他們的手段。就有點像制訂法律，在用各種刑罰處置違法者的同時，總要有些宣導或警告來提醒人民遵守。

做法其實很簡單，就是言出必行，切記不應要求孩子做難以達成，或是自己無法堅持的事，最忌諱朝令夕改，因為規矩不被遵守或改來改去，就不叫規矩了。

比方說，規定小孩每天十點要上床睡覺，可是十天內有八天會因為功課寫不完、孩子想休閒上網一下、才藝課等種種因素影響，而准許小孩常常改變上床時間，自己也無法堅持執行，那最初的規定根本就不夠實際，應該即刻檢討修正，否則很快就會演變成無效的嘮叨。

如果孩子能從小養成尊重大人的習慣，這樣的習慣就會一直持續到長大成人。

從兒媽媽到成為孩子的朋友

我的兩個孩子都沒有對大人頂過嘴，也不曾態度桀驁；他們有意見時都會先準備好充分的理由，再來找我們溝通討論。

也有朋友問過我，以前我是個權威媽媽，為什麼現在跟孩子感情這麼好，相處就像朋友一樣。

兒女的臉書都把我加為朋友，不介意我一起聊天，也不擔心我會不會窺伺。我容許他們開我玩笑，像不久前女兒幫我取了一個綽號：「豬豬小香腸」，我們私下相處時，天天在我耳邊呼喚「小香腸」，取笑我說我胖，我通通不介意。

這幾年來，我反而成了家裡的搞笑角色，專門負責娛樂大家。

父母在孩子心目中的形象並非一成不變，轉換的過程也不像穿脫戲服般生硬短暫。親子間是長期的互動變化，孩子的心智漸開，父母的作為當然也要逐步因應修改，但不該是在孩子的「要脅」或挑戰下被迫改變或消極逃避。

「倒吃甘蔗」的教養哲學

我曾聽到一些孩子剛進入青春期的朋友抱怨：「我的孩子變了！他以前好乖好聽話，都不會頂嘴！」

孩子當然會變……想想看小小的身體忽然抽高，男女不同的生理變化，暴走的賀爾蒙在他們臉上留下難看的青春疤痕，對人生的掌握想從被動轉為主動，內心的波濤洶湧可想而知，做父母的要適時調整自己的心態腳步跟上變化，才不會陷入可能持續數年的痛苦對抗中。

如果可以在孩子的變化之前，就有心理準備和應變措施，更能輕鬆變身為孩子的生活導師和心中倚靠。

孩子幼小時，多數習慣和觀念是我們養成的。很多人主張父母不該權威，應該要尊重孩子的發展，但根據我從身旁例子觀察到的結果，過度「尊重」放任身心都不夠成熟的小孩，到孩子長大有狀況時想要出手，通常都會衝突處處、困難重重。

個性特質和生活習慣是兩回事，我們應該觀察孩子的個性並協助發展其特質，但不論任何個性特質的人，都需要好的生活習慣與觀念態度，這些都得在幼年期，巧用父母的權威協助建立。

孩子有了良好的習慣與態度，我們就不會變成嘮叨的父母，可以隨著孩子的成長慢慢放手，讓自己在孩子的心目中越來越可愛，這種「倒吃甘蔗」的哲學，正是我過去十八年養兒育女的圭臬。

「寫字」，讓孩子養成好的學習態度

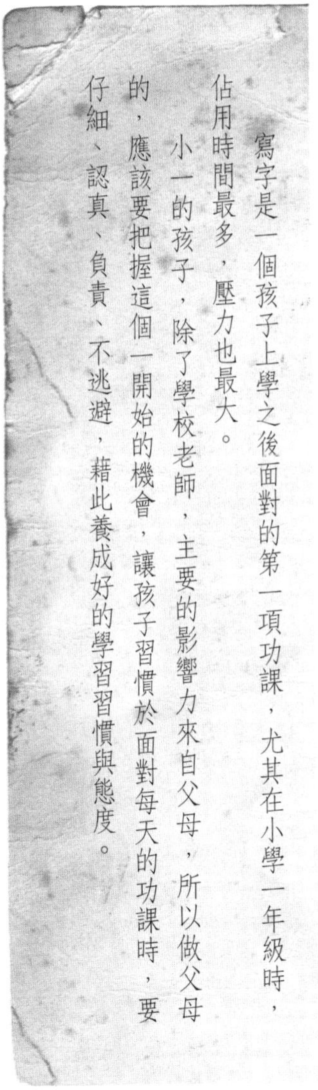

寫字是一個孩子上學之後面對的第一項功課，尤其在小學一年級時，佔用時間最多，壓力也最大。

小一的孩子，除了學校老師，主要的影響力來自父母，所以做父母的，應該要把握這個一開始的機會，讓孩子習慣於面對每天的功課時，要仔細、認真、負責、不逃避，藉此養成好的學習習慣與態度。

女兒出國念書後，我整理她小時候的東西，看到一個資料夾，裡面放滿了她小學低年級的作品和紀念品，其中包括一疊作文練習。有一篇的標題是〈我的興趣〉：

我的興趣是寫字，因為寫字跟畫畫一樣，都能讓我覺得心情愉快。

剛開始學寫字的時候，常常會被媽媽罵。每次寫橫的筆畫時，媽媽都說要稍微左低右高，寫出來的字才會有精神。有好幾次在學校已經寫完的功課帶回家裡，只要寫得不夠好看，媽媽就會把它全部擦掉，讓我好傷心。但是，慢慢的，字就越寫越好看，老師還選我參加寫字比賽呢！結果，我得了第二名，好高興喔！

我才剛學會硬筆字的其中一種，很快我就可以學用原子筆和鋼筆寫字了。等我多學一些國字以後，我希望媽媽能帶我去學寫毛筆字。聽說書法不但是一種藝術，練習書法也可以培養好品性。我一定會好好學習，因為我真的好想成為一位書法家！

讀完女兒小二時的這篇作文，心中暗自不忍。

真不知道自己年輕時怎麼會這麼「心狠手辣」？明明小孩在學校已經寫完的功課，竟然下得了手全部擦掉！而且，媽媽的「惡行」還這樣被留下了「證詞」，整篇文章清楚地「實況轉播」當時我是如何嚴格的要求她。

買橡皮擦，以「盒」為單位

至今女兒和我都有的共同記憶是，以前我去文具行買橡皮擦，都以「盒」為單位。此外，有好幾回，因為我實在擦太多遍，把本子都擦破了，我還曾經剪其他作業本的紙來幫她黏補寫字本呢！

我之所以這麼重視寫字，原因有二。

其一，寫字是一個孩子上學之後面對的第一項功課，尤其在小學一年級時，佔用時間最多，壓力也最大。由於這個年紀的孩子，除了學校老師，主要的影響力還是來自於父母，所以做父母的，應該要把握這個一開始的機會，讓孩子習慣於面對每天的功課時，要仔細、認真、負責、不逃避，因為身為國家義務教育下的學生，這將是他們未來十幾年天天要盡的責任與義務。

下一、兩年功夫，早早訓練他們習慣，總比接下來親子間長期抗戰十幾年要輕鬆得多吧?!

于珺為張曉風老師題字。

有些家長覺得字寫得好不好跟功課好壞無關，所以不重要，我倒認為**父母如果想幫助孩子養成認真做事的好習慣，有點枯燥的「寫字」是最適合的一樣「工具」**。

每天重複的工作，最容易藉以養成持之久遠的觀念和習慣，而寫字屬於反覆操練型的作業，跟孩子天生的理解能力高低沒有關係，所以除了少數小肌肉發展比較慢的孩子，幾乎任何性向資質的學生，只要願意練習，不用太長的時間就可以驗收到成果。

這樣的過程可以讓孩子體會到，**如果他們想要達到某種成就，「努力」與「練習」正是關鍵性的因素**。這，就是我要求孩子認真寫字的第二個原因。

這些心得和想法都來自於我個人的成長經驗。

成就感，讓孩子願意主動念書

我的求學路很順，但不表示我覺得讀書是輕鬆愉快的。對成長過程中的孩子來說，讀書真的很辛苦，我發覺我願意自我要求的最大動力，其實來自於有好成績，進而受到肯定的快樂；通常我有興趣做的事，也都是我做起來比較得心應手、表現比別人好的。

在我很小的時候，母親就協助我養成了認真寫字的好習慣，每天我從作業的甲上和星星得到很多成就感，而這樣的**成就感成了我能夠克服怠惰、熬過辛苦的鼓舞力量**。

假使當年在我還不懂事的時候，我母親沒有堅定的帶著我度過練字的辛苦過程，我不會嘗到成功的甘果，更無法體會努力的重要。學到這種態度，不僅僅在讀書，在

各方面的學習都很有幫助。

關於寫字，我媽媽教的幾個重點，我都還記得。

她說，字要方正，平行的筆畫間隔要一樣大，橫畫的右邊稍微高一點，寫出來的字比較有精神。字在格子裡的四邊留白要一樣多，但不是放在格子正中間，而是稍微往下面一點點，這樣字比較穩。

這些觀念，我都依樣畫葫蘆的重述給孩子了解。學校老師雖然都有教怎麼寫字，但回家還是需要操練。

女兒的「感謝」

女兒小一開學才不到一個月，我去學校參加家長日，就看到她的寫字作品被老師張貼展示，她自己非常開心。尤其在老師選她參加寫字比賽之後，她好好練習的意願就更強了，耐力也明顯提高。

這樣「嚴酷」的過程才十幾二十天，小孩子已經從中得到回饋與快樂。

我記得在女兒小二時，曾有一位家長以相當不以為然的語氣對我說：「這是什麼時代了，會打字就好，寫字漂不漂亮哪裡重要！」

當時國中基測不考作文，所有考題都是電腦閱卷的選擇題，考試領導學校教學和家長教育方向，加上個人電腦使用日益普及，自然形成這樣的看法。

我依然一本初衷堅持自己的方式，因為客觀認定上她字寫得夠不夠美不是我的重點，養成好的習慣與態度才是我的目標。

或許傻人有傻福吧！當年的做法未經功利算計，誰又想得到幾年後教育政策會大轉彎，加考作文和手寫部分呢？女兒的文章也證實了，當時想學寫毛筆字是出於她自己的意願，並非我精心策劃的選擇與安排。

我無心插柳的結果，多年下來書法竟成為她最大的興趣與驕傲，如今女兒每每在得到讚美時，總是不吝「感謝」我當年的嚴厲。畢竟興趣來自於成就感，要得到成就感，終究少不了下苦功！

高于珺小二作文

我的ㄒㄧㄥˋ ㄑㄩˋ

我的ㄒㄧㄥˋ ㄑㄩˋ是寫字，ㄧㄣ ㄨㄟˋ寫字跟畫畫一 ㄧㄤˋ，都能ㄖㄤˋ 我ㄐㄩㄝˊ得心情ㄩˊ快。

剛開始學寫字的時候，常常會ㄅㄟˋ媽媽ㄇㄚˋ。每次寫ㄏㄥˊ的ㄅㄧˇ ㄏㄨㄚˋ時，媽媽都說要ㄕㄠ ㄨㄟˊ ㄗㄨㄛˇ ㄉㄧ右高，寫出來的字才會有精神。有好ㄐㄧˇ次在學校已經

寫完的功課帶回家裡，只要寫得不ㄍㄡˋ好看，媽媽就會把它全ㄅㄨˋ ㄘㄚ ㄉㄧㄠˋ，ㄖㄤˋ我好ㄕㄤ心。但是，ㄇㄢˋ ㄇㄢˋ的，字就ㄩㄝˋ寫ㄩㄝˋ好看，老師還ㄒㄩㄢˇ我ㄘㄢ加寫字比ㄙㄞˋ呢！ㄐㄧㄝˊ ㄍㄨㄛˇ，我得了第二名，好高ㄒㄧㄥˋ ˙ㄛ！

我才剛學會一ㄥˋ ㄅㄧˇ字的ㄑㄧˊ中一ㄓㄨㄥˇ，很快我就可以學用原子ㄅㄧˇ和ㄍㄤ ㄅㄧˇ寫字了。等我多學一些國字以後，我ㄒㄧ ㄨㄤˋ媽媽能帶我去學寫毛ㄅㄧˇ字。ㄊㄧㄥ說書法不但是一ㄓㄨㄥˇ ㄧˋ ㄕㄨˋ，ㄌㄧㄢˋ ㄒㄧˊ書法也可以培一ㄤˇ好品性。我一定會好好學ㄒㄧˊ，ㄧㄣ ㄨㄟˋ我真的好想成ㄨㄟˊ一位書法家！

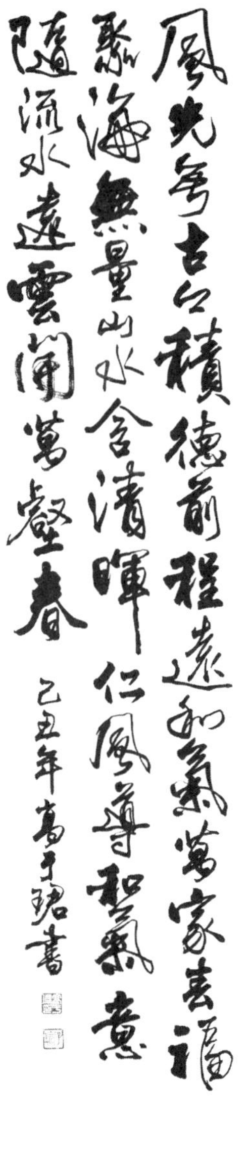

獲二〇〇九年全國萬人揮毫第一名作品。

《阿信》，我的最後一齣連續劇

孩子出生後有十幾年，除了必須陪先生出席的場合，晚上孩子在家的時間，我一定在家，無論是陪他們做功課或玩。

我鼓勵他們做什麼事情時，只要我自己也可以做，我就會跳下去跟他們一起執行。因為我希望孩子們知道，所有我對他們的要求，我自己都做得到。

一九八三年在日本播出的知名日劇《阿信》，一直到一九九四年才在台灣首播。當時女兒兩歲多，兒子還不滿一歲。由於我一直很欣賞飾演中年阿信的女演員田中裕子，所以每天晚上時間一到，我就放開手邊所有的事，守在電視機前面，跟著女主角的一顰一笑忽憂忽喜，常常到片尾曲「感恩的心」時，已經哭得一把鼻涕一把眼淚。

當然，在每晚的播映時間，我總是專心於劇情，兒子哭，我聽不見；女兒鬧，我草草應付。

因為集數很多，《阿信》播了相當長的一段時間。七〇年代到九〇年代初期，個人電腦尚未普及，看電視是很重要的家庭娛樂，不過《阿信》播完之後，我就下定決心，不管有我多想看的劇，這是我最後一齣連續劇了。

專心，陪孩子

女兒已經快要開始一些學習活動，除了想專心的陪伴他們成長，我不希望她印象中的媽媽，晚餐之後就被電視綁架，眼睛只會盯著螢幕，然後嘴裡罵著孩子：「不要看電視，去念書！」

有一件事我不學，也不做，那就是打牌。我母親不會打牌，小時候一起上菜市場，看到有小販賣彩色的籌碼和壓克力牌尺，不知道那是什麼東西，還以為是玩具，我母親因此被那小販白了好幾眼。

國小到國中時曾有幾次週末到同學家玩，她們的父母長輩都在打牌，一坐一整天，跟他們講話時都沒被正眼瞧一下，中午就拿錢給我同學，叫我們自己出去買麵吃。

我很慶幸每次邀同學到家裡玩，我母親總是親切招呼，親自做飯招待我的同學。長大以後，知道在很多家庭打牌其實是很正當的休閒，我認識的朋友們也都只在孩子上學的時間才聚會消遣。不過或許是因為這個小時候的對比印象太過深刻，讓我不想學打牌。我不希望孩子腦海中的母親畫面，有在牌桌上忙到無法正眼看他們的表情。

耳濡目染的巨大力量

身教非常重要，父母親的形象不論好壞，都會因為耳濡目染，對孩子的行為造成影響。奇怪的是，常常我們覺得不喜歡父母親的某種習慣或行為，但長大後自己卻不知不覺的做了一樣的事。這一點，從自己的經驗和身邊親朋好友的案例，都可以觀察到。

我母親為人厚道，對親戚朋友都很誠懇用心，但她常常在旁人面前，半開玩笑用挖苦的語氣描述對我父親的一些怨言。我爸脾氣好，聽了通常都笑笑不回應，我媽講久了也成了習慣。

我結婚後不久，有一次跟先生有點不愉快。他忽然對我說：「有什麼事你直接說就好，不要在別人面前挖苦我。」

我很認真的反省，自己的語氣、內容回想起來還真耳熟。潛移默化的力量的確很可怕，我想從此要徹底修正大概很難，不過至少意識到有這樣的問題，會常常提醒自己。

我公公雖然是生意人，卻很少應酬，幾乎每晚都在家吃飯。我結婚二十年來，我先生也是如此，不喜歡應酬，不菸不酒，不參加二次會。以做生意的家庭來說，我覺得我的孩子很幸福，我們的家庭生活平靜單純，每晚都看得到爸爸。

我有一個朋友，公公從年輕就外遇，有了固定的小老婆，先生目睹母親所受的折

磨，非常維護母親，從小痛恨父親的作為與外遇對象。想不到的是，後來她先生自己也有了外遇問題，讓她受到很大的傷害。為什麼身受其苦，卻又會做出同樣的事呢？

不少家庭暴力的施暴者，小時候其實曾經是受害者。在破碎或不健康家庭長大的孩子，看到的、聽到的，往往是猜忌、衝突與痛苦，多半沒有機會好好學習溫暖的語言和正面的行為互動。

小孩子必須從不斷的觀察模仿，建立起自己的人格特質，因此從小到大，行為學習仿效的對象非常重要。**身為一個母親，謹言慎行之外，小心選擇所有活動，就是期勉自己成為一個好的模仿對象。**

叮嚀孩子前，先做給孩子看

我希望孩子們知道，所有我對他們的要求，我自己都做得到。

孩子出生後有十幾年，除了必須陪先生出席的場合，晚上孩子在家的時間，我不曾自己和朋友相約外出聚餐或參加聚會。

從孩子有印象開始，不陪他們做功課或玩的時間，只要他們在家，處理家務以外，我很少看電視或做自己玩樂性質的事，多半是在看書或畫畫。孩子上國中以後課業忙碌，我自己的時間比較多，才開始寫作。

通常我鼓勵他們做什麼事情時，只要我自己也可以做，我就會跳下去跟他們一起執行。

小學時有一年暑假，我希望他們趕快把我買的許多「存貨」故事書消化掉，我就辦了一個讀書比賽，我自己也是參賽者。

孩子上國中以後，我盡量不用口頭嘮叨孩子念書，一切都親自做給他們看。考試前的晚上或週末，我會約他們上我們的「家庭閱覽室」，母子一起用大餐桌當書桌念書。最近兒子太胖，我鼓勵他減肥，除了幫忙他計畫如何控制飲食，我每天都陪他做運動，跟他一起吃減肥餐。

比說教更有效的教養方法

我還記得二〇〇一年初，于珺小學三年級時，我們和朋友一起到北海道滑雪，從台北出發到東京轉機。因為下大雪，東京的國內線班機無法起飛，所有乘客被卡在機場候機室，期間因為不知道到底有沒有辦法飛、何時才能登機，許多孩子等得不耐煩，吵吵鬧鬧。

我們苦等了七個小時才勉強登上飛機，于珺卻已經安安靜靜的利用那段時間，把一本《哈利波特》讀完了。

她非常善於利用零碎時間閱讀課外讀物。小學期間，英文版的《哈利波特》一出書她很快就能看完，國中因為喜歡《達文西密碼》，她買了丹・布朗所有的原文著

于珺在日本新幹線火車上寫日文作業。窗台上是英文版的《哈利波特》。

作，暑假時全部讀完。

常常有人問我：「你的孩子怎麼這麼愛看書？怎麼教的？」

直到現在，我每天背進背出的大包包裡，一定有一本書，或是我正在寫的稿子的相關資料，以便我隨時利用空檔閱讀。

我想很多事情，不需要用「教」的，孩子看在眼裡，自然而然就形成一種習慣，這樣的影響力，比說教千百句更直接、更深遠！

啞巴資優生

女兒的嚴肅安靜，讓我在她每換一位導師時，都要背一陣子黑鍋。

不過，針對她這方面的個性，我除了要求她該有的禮貌一定要做到，像打招呼、問候和微笑回應外，我比較積極的對策是，鼓勵她把握各種上台的機會。

女兒于珺國中時，有天她上書法課回來說：「媽咪，書法老師今天很驚訝的看著我說：『原來你不是啞巴啊！』」一講完，她自己忍不住笑了。

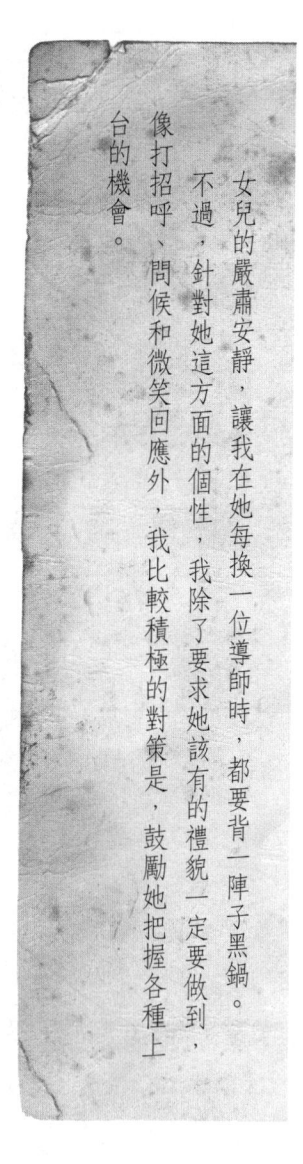

原來是因為她平常上課極度專心沉默，連老師批改作品時跟她說話，她也都以點頭回應，但自從一位好朋友來同一時段上課之後，她邊練字竟開始會嘰嘰喳喳的聊起天來。

雖然現在大家都說她是「資優生」，朋友們多稱讚她在電視訪問中表現得落落大

方。老實說，我在女兒兩歲以前，還真的擔心過她是不是啞巴。

她兩歲以前很少開金口，導致原本主張小孩子一定要學閩南語的婆婆，甚至不敢跟她說閩南語，以免兩種語言同時進行阻礙她的學習。

還好在我仔細觀察一陣子之後，發現她該有的發展和表達能力都有，只是不愛開口，應該沒什麼好擔心的，就沒有帶她去看醫生。

女兒天生的氣質，父母不勉強

女兒從小就是省話一姐，非常安靜，不論是上課或玩耍，她不但很少講話，也不大發出聲音。我發現她在家其實非常活潑好動，尤其是她三歲多以後，弟弟開始能一起玩，姊弟倆在家可以玩得很瘋，也常講個不停。奇怪的是，她一出去話就變少，回到家也不常主動報告學校或外面發生的事。

不過只要我問她，她都能簡短清楚的表達或描述，她的安靜似乎也不影響她的交友與人際關係，我因而認定這是她天生的個性，若她沒興趣談，我不會勉強她。我只要求她該有的禮貌一定要做到，像打招呼、問候和微笑回應。

她的安靜有個最大的好處，那就是在我們這種較為傳統保守的學習環境中，她在學校的表現很少造成我的困擾，不像弟弟小一開學才一週，聯絡簿就被寫了三次「上課愛講話，影響教室秩序」。女兒上課非常專心，觀察力也很敏銳、客觀，很少情緒

于珺國中畢業典禮當天調皮的表情。

性的討厭某一位老師。

我當了十幾年的家長代表，家長們常會就某些學校老師的表現不受孩子歡迎，希望我去學校幫忙了解溝通，在那種時候，她的意見還滿有參考價值。

有一回一位老師被孩子們批評為「教得很爛」，我問她有什麼看法。

她說那位老師認真上課時其實講得不錯，只是他口齒不是那麼清楚，人不風趣，又常愛聊他家裡的大小事，同學們愈來愈不肯認真聽講，當然覺得他教得不好。

她的省話功力在國中時達到極致，我常笑她的回答都是「一字真言」到「三字經」：好、沒有、不知道等等。問她考得如何，只要她回「還好」，我就知道她有表現出

實力。

因為她話實在太少，我常常耍寶逗她，這時她就會對我吐舌頭說：神經病……當她沒有特別的事情要談時，這就是她最長的回應之一！

她的嚴肅安靜，讓我在她每換一位導師時，都要背一陣子黑鍋。國一的導師甚至來告訴我，希望我不要給她太多壓力，害她終日「鬱鬱寡歡」，讓我哭笑不得。

女兒上高年級後，完全放手

其實我從她上高年級以後，幾乎完全放手讓她處理自己的事。我覺得自己一直有觀察她的狀況和變化，所以對老師的誤解並不憂慮。我會向老師說明孩子的個性，也請老師繼續觀察，跟我保持聯繫，所幸通常不用多久，老師就能了解她了。

針對她這方面的個性，我比較積極的對策是，鼓勵她把握各種上台的機會。因為她是個非常認真負責的孩子，只要老師指定她上台演講或表演，她一定會回來求助，我就配合她努力在家幫忙訓練。比方演說，我會從擬稿、咬字、發音、語調、表情和台風各方面協助她練習，從中確認她表達沒有問題，上台不怯場。她有了好成績、好表現，對自己就會有信心。

很幸運的，雖然她的口才和臨場反應並非頂尖，但她的安靜沉著，反而為她日後

小學畢業，獲「市長獎」。左為復興實驗高級中學李珀校長。

的儀態和待人接物的表現加分。

一個在課業和活動上表現都出色的孩子，能夠謙虛穩重，願意聆聽，意見表達清晰又不咄咄逼人，的確讓我對她在團體中的人際關係很少操心。

至於我為她在音樂和語言表達方面做的各種培養與訓練，雖然因為她的個性與天分，無法在年紀很小的時候就有亮眼的表現，但就像在成長的各個階段為她撒下種子，細心栽培，時間到了，養分足了，有適合的舞台和機會，各種能力自然就會萌芽茁壯。

親子過招——提出孩子願意接受的建議

若責罵孩子已經在進行的行為，或約束已經養成的習慣，沒有一個孩子會心服口服的開心接受。但是我發現，跟孩子談下一個階段的「前輩」可能會犯的過錯，他們不會排斥。

當孩子十歲時，新聞若出現十二、三歲青少年的問題，我就會藉機拿來跟孩子們討論。

藉由這樣的方式，我讓孩子知道，我對他們的成長有所準備，很多事情我都預想過，而不是等他們出狀況丟問題來，才手忙腳亂的接招。

常聽人說：「身教重於言教」，其實我覺得，言教跟身教一樣，都很重要。父母是孩子學習模仿的榜樣，父母的身教當然不容輕忽。身教可以傳達給孩子父母的價值觀、態度和做事方法，不過有很多事情卻是身教無法涵蓋到的。

適切的言教，發揮打預防針功效

小孩子成熟度不足，欠缺人生經驗所能提供的預想能力，面對誘惑時，很難因為想像得到不好的後果而懂得自我約束，所以孩子從小到大，耳提面命、循循善誘有其必要。適切的言教，可以發揮打預防針的功效。

還記得女兒小學中年級時，我們剛好看到一則電視新聞，播出一些瘋狂追星的中學生為了演唱會的票排隊，帶著睡袋夜宿街頭，媽媽還得去送便當。

當時我開玩笑對于珺說：「你上國中以後一定會瘋偶像，要記得我不是這種媽媽喔！如果以後你做這種事，三天沒東西吃，我也不管你。」

她馬上一臉不屑的回答：「我才不會做這麼無聊的事！」

我笑著說：「太好了！我們等著瞧吧！」

結果她從上國中起，受到同學的影響，開始喜歡一些日本樂團，後來甚至迷上了重金屬搖滾。

我尊重她對興趣嗜好的選擇，不會限制她買買CD、海報或雜誌，但由於我們母女都還記得以前的那一段對話，或許礙於面子吧，她在時間心力的投入方面相當有節制，從來不敢有去追星或為演唱會排隊買票的念頭。

預想孩子可能出現的問題，先與孩子討論

若責罵孩子已經在進行的行為，或約束已經養成的習慣，沒有一個孩子會心服口服的開心接受。但是我發現，跟孩子談下一個階段的「前輩」可能會犯的過錯，他們不會排斥。當孩子十歲時，新聞若出現十二、三歲青少年的問題，我就會藉機拿來跟孩子們討論。

每一個新的學習階段開始，我也會先跟孩子談，接下來他自己，以及我們親子一起，可能會碰到的狀況與困難。

藉由這樣的方式，**我讓孩子知道，我對他們的成長有所準備**，很多事情我都預想過，而不是等他們出狀況、丟問題來，才手忙腳亂的接招。

他們也常會印證，父母的預言的確會發生，原來過去的自己想法真的不夠周延。

或許有人會說，事情都還沒發生，你就講給小孩聽，他們能理解、能記得嗎？

我的感覺是，如果等到出問題了才想挽救或匡正，雙方反而會因衝突而痛苦。當然不用講太遠，通常下一個階段的生活對孩子並非遙不可及無法想像。不過我不會每天繃緊神經，焦躁地對小孩不斷提醒；多數談話都分散在生活的小縫隙中，隨機而不著痕跡。

親子間的互信，從小累積

也有朋友問過我，孩子進入叛逆期以後，不管她說什麼孩子都懶得聽，不然就是因意見不同而吵架。為什麼我的孩子願意跟父母談，也樂意接受父母的建議呢？

我想，最大的原因是我們親子之間已經建立了「互信」。

我可以信任孩子，一件事不需要嘮叨，反覆罵個不停；孩子也信任我們，相信父母提供的建議值得參考採行，長期下來會形成一種良性循環。

我的兩個孩子都沒有叛逆期，尤其是偉庭，一個大男孩常常被學校老師誇讚成熟穩重，這幾年讓我這個媽媽當得頗輕鬆愉快。

這樣相互信任的默契必須從小培養。

二、三年級以下的孩子，父母很容易用強硬的態度讓小孩「就範」，但隨著孩子成長，這種手段的難度就越來越高。

孩子小的時候，我對他們生活上的管理非常嚴格，讓他們養成了必須認真聆聽父母意見和教誨的習慣。我一向手重口輕，不會太囉唆，如果孩子不尊重我的要求，我絕不會光用嘴罵，卻一再給他們屢犯的機會。

但是我很努力讓自己的要求都經過深思，避免情緒性的管教，所以孩子通常不用太久，就會了解父母的要求其實相當合理，或是發現接受父母的建議而採行的方案，的確可以得到很好的結果。

于珺所熱愛的「有氧舞蹈社」。

過去十年來，我努力反覆在日常生活中讓孩子得到這樣的感想：成功沒有捷徑，但如果願意虛心接受過來人的建議，可以少走很多冤枉路。

高中後，幫孩子分析，但決定權交給孩子

于珺升上高二的時候，由於非常喜愛高一時參加的有氧舞蹈社，高二還想繼續，社內學姊也鼓勵她擔任舞社幹部。但是同時，因為興趣，她又想成立一個新的投資理財社，自己擔任社長。

當高中社團的幹部雖然好玩，但很辛苦，尤其是社長，學

校為了要孩子對事負責，校規有明訂若社長退社，會被記大過。

當時她很貪心，兩方都割捨不下，因而動了兩邊都要進行的念頭。

女兒來問我們意見的時候，我們當然很認真的為她做了一番分析。

擔任社團幹部責任重大，必須比社員付出加倍的時間心力，更何況是創立全新的社團擔任社長。她既然已經決定要申請國外大學，就必須在高二這一年把SAT與托福等考試完成。

我們已經聽說高二的課業難度與高一落差很大，北一女的競爭又激烈，課業上要中美雙軌兼顧，勢必非常困難，參加一個社團都怕讀書時間不夠了，怎麼可能同時主持兩個社團?!若為了玩社團犧牲掉課業，因而無法順利申請到合乎自己期望的學校，豈不得不償失！

因此我們強烈建議她，只能選擇一個，而且最好是以哪一個社團的經驗，對她未來申請學校比較有幫助，來做最後的決定。

孩子上高中以後，爸爸和我只負責提出意見，最後的決定權，我們還是交給孩子。

她躊躇猶豫多時，終於決定採納我們的建議，放棄舞社，專心籌組新社團，但這個選擇卻讓她難過不捨長達一年多。

一直到她申請美國大學的好成績出爐之後，有一天一起回家的路上，她跟我分享了這樣的心情：「現在回頭看，還好我聽了爸爸媽媽的建議，不然我想我一定無法兼

顧功課和兩個社團。」

她靦腆的笑著說：「謝謝……雖然到現在，每當我想到退出舞社這件事，心裡還是很難過。」

管教，需要平心靜氣

只要小孩相信你的確是為他好，有幫他思考，也想得很深刻，父母所提出的意見即使不同於他們自己的意願，他們還是會認真權衡考量。

其實越大的孩子越講道理，所以管教時若能搬出有說服力的理由，通常孩子都能接受父母表達看法。最忌諱對青少年期的孩子還想用強壓的手段，動不動就說：「我是你爸（媽），你就是得聽我的！」硬碰硬的方式一旦被孩子挑戰成功，父母在親子關係上就會轉為劣勢，未來的管教更是難上加難。

我常開玩笑跟朋友說，養小孩啊，孩子小的時候拚體力，長大就得拚口才、拚腦力。如果父母自認反應沒那麼快速，口頭表達沒那麼流暢，就應該避免因詞窮而當場發飆，免得讓孩子誤以為父母是因為理虧才生氣罵人。應待平心靜氣的想清楚之後，再看要以寫紙條、寫信或其他更理想的方式跟孩子溝通。

但如果發現孩子的觀點比自己有道理，就必須接受；如果自己說錯、做錯，也應該要向孩子承認並道歉。

于珺在北一女創立「投資理財社」，同時擔任社長。

于珺屬羊，她國小畢業時，我買了一個很可愛的純金小羊鍊墜給她做紀念，同時告訴她，她已經是個青少年，接下來，她要開始為自己負起更多的責任。

卡片上媽媽的期許很簡單：「希望你不要變成一個連貓狗都嫌的叛逆少女！」

這些年下來，我真的很欣慰，不但我的期望已經實現，她後來的表現，甚至遠遠超出了我的期待！

卷二／

小一，就讓孩子養成專注、堅持的讀書習慣

孩子愈小，陪讀時間愈多

孩子剛入小學的這一段時間，正是建立讀書習慣和觀念的黃金期。那兩年不論是寫功課，還是考試，我都帶著他們一起走過所有的細節，一起檢討，一起研究改進的方法，然後鼓勵他們繼續追求更好的表現。

藉由這樣的過程，我讓孩子明白，在媽媽心目中，怎樣才叫「全力以赴」，習慣以後，就會成為他們自我要求的標準。

一位朋友談到剛上國三的女兒，頗為憂慮。

她說：「怎麼辦？我看女兒整晚晃來晃去，念書態度懶懶散散，花好多時間上網聊天、看電影，常常拖到三更半夜才睡。叫她用功一點、時間的利用更有效率些，她竟回我說，她覺得自己已經夠用功了！我們母女對『用功』的定義，標準怎麼會差那

麼多？」

現在的孩子缺乏目標

我們這一代的家長，只要回想起當年聯考前衝刺是怎麼拚的，多數人都有二十世紀版的懸梁刺股故事想拿出來激勵兒心，很不幸的是，孩子們對父母古早的勵志故事通常沒什麼興趣。

我們所謂的「好好用功」，真的是從早到晚全神貫注、分秒必爭，但一對照現在許多孩子邊念書邊上網的散漫情況，毫無自我鞭策的動力，心裡難免嘀咕。

類似的親子溝通困擾，多數家庭都會有，就好像叫孩子整理雜亂不堪的房間，孩子卻頂一句「我覺得很乾淨啊！」回來……在不同的層面交流，當然不會有交集。

現代家庭孩子生得少，不管家境優不優渥，通常都能得到父母的全心關注，盡力滿足孩子物質上的需求，各類資源送到眼前，所以現在的孩子普遍欠缺真心想要追求的目標和努力的動力。

尤其到了青少年期，生活習慣已然養成，各種觀念也逐漸成形，如果父母到這個時候，才發現「各自表述」難以忍受，想要同步觀念，為時已晚矣。

這也就是我在孩子小學一、二年級時，花兩年時間陪讀、盯功課的原因。

剛入小學，是建立學習觀念的黃金期

孩子剛入學的這一段時間，正是建立讀書習慣和觀念的黃金期。那兩年不論是寫功課，還是考試，我都帶著他們一起走過所有的細節，一起檢討，一起研究改進的方法，然後鼓勵他們繼續追求更好的表現。

藉由這樣的過程，我讓孩子明白，在媽媽心目中，怎樣才叫「全力以赴」，習慣以後，就會成為他們自我要求的標準。

我曾聽到一些事業有成，但學歷不盡理想，或小時候不大認真念書的人說：「念書有什麼用？成績一點也不重要，看我不是好好的。」我不贊成這種說法。

入社會以後是完全不同性質的競賽，有更複雜的遊戲規則；人生的成就本來就還需要靠機運與離開學校後的持續努力，成績、學歷的確與未來的成就表現沒有必然的因果關係。但我認為，就培養正向人生態度的目標來看，父母親還是應該鼓勵孩子努力追求成績表現。

一個人的一生有將近三分之一的時間要念書，在這麼長的一段時間裡，成績是生活中經常性要面對的學習成果檢驗報告，可以是大多數成就感的來源，我們當然要盡力避免它成為挫折的淵藪。

孩子上國中以後，我常常跟他們分享一種觀念：**人的一輩子，念書是少數完全掌握在自己手裡的事**，不需要靠別人，運氣的成分也很低。

經全校票選，獲「優良學生獎」。

人生大多數的事，包括人際關係、職場、婚姻等等，我們都會受限於環境條件，更受制於許多其他的人，這些因素都是我們無法操控的。因此，在念書的過程中，你完全可以驗證一分耕耘，一分收穫的道理，很容易就享受到成果，得到成就感，為什麼不把握機會好好努力呢?!

鼓勵孩子追求「自己的最佳表現」

當然，追求成績表現絕不是一味的要孩子當第一名，更不該只重視分數高低和名次，使孩子錯誤放大成績的意義與重要性。

我們自己也要認清孩子的能力有一定的極限，所以我鼓勵孩子追求的是「自己的最佳表現」。

這樣「跟自己競賽」的觀念必須從小灌輸，讓孩子了解成績是一種自我檢驗而不是數字的追求，名次可以幫助我們知道自己的能力在人群中的落點，只要符合，甚至超越自己應有的表現就是最棒的。

我教導孩子的觀念是：**不能把不喜歡念書當作藉口，但努力過後發現不善於讀書，是可以接受，也必須坦然面對的。**

我希望這能延續為他們未來的做事態度，因為沒有一個成年人可以永遠只選自己愛做的事情做。

從課業中，學習處理問題與困難

那該怎樣找出自己最佳表現的標準呢？求學的過程本來就會被劃分為很多階段，最粗略的分法當然是小學、國中、高中……每一個階段的開始，都是一次必須重新設定的時間點。

小學一年級是第一次，就像搬新家到新環境，我非常謹慎的牽著孩子的手走一趟認識路線，找出基準點，然後以這個基準來自我要求。

不是拿成績來檢測我們的孩子需要多做幾本測驗卷，還是去哪裡補習，而是**拿成績來觀察小孩的做事態度、能力以及所得到的成果**。譬如數學老是不及格，我們要分辨究竟是不夠努力，還是努力之後依然沒有起色，有沒有找出補救的方法等等。

把它當成一個失敗的經驗，一種不易克服的困難，然後想辦法去處理，這就是訓

練。

我比較擔心孩子的不是他們成績好不好，而是有沒有養成自我要求的態度與解決問題的能力。

學業，除了努力，也需放下得失心

于珺學齡前的表現並不突出，因為她很安靜，不愛講話，沒有一位幼稚園老師跟我說過，她是資優或outstanding的小孩。弟弟就很不一樣，因為反應快又活潑，常常給人很聰明的感覺。

其實聰不聰明，每個孩子的長處和表現方式不一樣。有些小孩思路清晰，若再加上口齒伶俐，看起來就很聰明；有些小孩很會觀察思考，但不一定善於表達。

兩個孩子和我的運氣都很好，**小學階段的第一次考驗，就有不錯的結果，孩子很容易建立起自信心**。小學一年級到六年級，于珺只在小一拿過一次段考第二名，其他所有大大小小的考試，她總是班上的第一名。

上國中的第一次考試，則讓她體認到拿第一不再那麼容易，不過她已經有了充分的心理建設，所以不會有自我認知錯誤造成的情緒問題。

我自己念北一女，台大外文系（當年乙組的第一志願），以前在一個又一個的階段都有爬上金字塔尖，新階段又跌下金字塔的經驗，所以一再提醒她，對自己不要有錯誤的期待，但眼前的挫折不表示定數，只要肯下功夫持續努力，龜兔賽跑的故事在真實世界是會發生的。

成果不好，我們做父母的難免失落，但要有心理準備，才不會因為父母的態度造成孩子的壓力。

兒女上國中和高中的第一次段考，我已不再過問他們應付課業的方式，全部交給他們自己執行，不過我都提醒他們要好好拚，看自己的位置在哪裡，因為這牽涉到未來三年對自己的認知和計畫的安排。

人外有人，天外有天，若不在頂尖，只是證明自己不是少數的天才，而是像多數人一樣的「正常人」，不用怨嘆，也不必自暴自棄。

持續好的學習態度，修正標準和應對方式就好了，因為確實學到自己下個階段的學業或將來入社會所需要的知識和能力，才是受教育的真正目的。

小一，就把習慣養好

小一、小二，每天晚餐後，我和孩子一起到房間把聯絡簿和功課拿出來，我會引導他們從當天的功課中決定出順序。

我要他們在一開始精神比較好的時候，先完成最難的作業（通常是數學或國文），再做其他科目，像美術勞作等放在最後面。至於才藝課的作業，我會要他們以「週」來做計畫，分配在課業完成後的空檔。

這樣可以灌輸他們一種時間安排的概念，過一陣子之後，他們就會懂得如何規劃自己所有的課業、才藝活動和休閒時間。

孩子上國中以後，我很少像他們小學時那樣，常常為了幫忙班上的事進去學校，但由於長期擔任家長代表，偶爾有事必須到學校去時，我總是很害怕在校門口碰到一些天天到學校報到的媽媽。

其中一位別班的家長，孩子成績很好，常常名列前茅，每次在校門口遇見，她多半正在和另外一兩位媽媽討論前一天發回來的某一張考卷。

有時她會把我叫住：「高媽媽，昨天發回來的生物考卷，第一張第九題選擇題答案有問題，妳知道嗎？正確答案是B，可是C應該也可以。我已經幫他們查過課本和參考書，我認為……」

通常我只能一臉茫然的回說：「不知道耶，我完全沒看考卷內容……」然後快步「落跑」。

一方面為自己似乎是個很混的媽媽感到有點不好意思，另一方面也擔心別人認為我裝模作樣。明明兩個孩子成績都不錯，在家裡一定嚴格督促，卻愛在別人面前假裝沒管小孩。

小一，盯功課，高年級，就放手

我從不諱言孩子小學低年級的時候，我很用心盯功課，但到高年級，功課方面我幾乎全放手了。

于珺上小五以後，除了她偶爾拿不會的題目來問我，我好像再也沒有主動看過任何作業考卷，頂多是考卷簽名時若看到成績不盡理想，我會問孩子懂了嗎？需不需要幫忙？只要他們說沒問題，我信任他們，就不會再追問。

我見過好些念書比孩子更認真的父母，即使到了國中，還是天天在家管理小孩所有的功課細節，研究過濾每一張考卷。

我覺得**盯功課、管孩子應該是有階段性的，目標是幫助孩子盡快養成好的讀書習慣和方法**，父母不該到孩子已經國、高中了，還繼續當書僮，孩子可能因此養成依賴心。不過，帶老大時，我並沒有清楚的概念預知什麼時間點該怎麼做，就是邊看邊走，自己觀察孩子的自理能力已經差不多，就逐漸放手。

曾有人問我，為何會有概念小學低年級時要陪著孩子做功課。

很多年前孩子三、四歲時，有一次吃飯的場合，旁邊坐了一位大女兒已經上國中的朋友。聊天中她談起教養小孩的經驗，我記得她說：「小學一年級的時候要盯緊一點，把習慣培養好，以後就輕鬆了。」

我回想自己小學一年級時，媽媽就花了不少時間坐在我旁邊看我寫功課。**好的開始的確很重要，我認同小學一年級要把習慣養好的說法**，因此朋友的提醒讓我特別把這件事放在心上。

這位朋友在孩子長大了以後，重返職場成了女強人，她的大女兒也成為一位亮眼的新聞主播，每次我在電視上看到她女兒播報新聞台風穩健，總會忍不住想起當年我們吃飯的場景和談話的內容。人生很奇妙，有時不經意聽到的一句話，可以讓自己受用無窮，也記得一輩子。

十歲前，與孩子打好良性互動基礎

孩子小學三年級以前，父母的影響力大，我們的指令和建議，孩子比較願意聽從。到了四年級，尤其是女孩子，伴隨著一些「轉大人」的生理變化，自主意識就變強了（男孩子通常會慢一點，開始的時間約在國中一年級）。

我比較記得的是，之前我給于珺什麼課外書，她就讀什麼，但小四以後，我則清楚感受到她開始有比較強烈的偏好，尤其愛讀驚悚推理小說，至於她完全沒興趣的主題類別，就很難強迫她接受。

這是孩子隨著生理變化學習獨立自主的正常現象，家長要有心理準備調整心態做法，不應解讀為「孩子變叛逆，開始不聽話了」。

因此，十歲左右是一個自然轉變的時間點，跟孩子之間的良性互動，在這之前就要打好基礎。

想協助孩子養成良好的讀書習慣，父母必須建立權威，但不是一味的高壓。我整個概念就是**從小到大，由緊到鬆**，因為**好習慣不嚴格是養不起來的**。

待孩子習慣養成後，做家長的再依狀況一點一點的放手，孩子會覺得父母越來越好相處，整個轉移過程就可以很順暢，不會有太多衝突。

從小培養「時間管理」

一、二年級時，每天晚餐後，我就和孩子一起到房間把聯絡簿和功課拿出來，我會引導他們從當天的功課中先決定出順序，並判斷還有多少時間可以做像練鋼琴或讀英文這一類的才藝功課。

我要他們在一開始精神比較好的時候，先完成最難的作業（通常是數學或國文），再做其他科目，像美術勞作或報告類比較輕鬆愉快的放在最後面。

現在的孩子課外活動很忙，所以才藝課的作業，我會要他們**以「週」來做計畫**，分配在課業完成後的空檔。

這樣可以灌輸他們一種時間安排的概念，過一陣子之後，他們就會懂得如何規劃自己所有的課業、才藝活動和休閒時間。

專心，別邊寫邊玩

我會坐在孩子旁邊，陪他們念書、寫作業，完成後，盯他們檢查或複習，確定每天的計畫都要實行。當他們有困難時，我會立刻協助他們找出解決的方法，比方說查字典或找參考書。

不過陪在旁邊最重要的目的，除了利用長期的反覆操作形成他們的慣性，還要讓他們學會專心和時間控制。我不希望他們邊寫邊玩，盡量幫忙約束他們集中精神，功課寫完，休息時間再好好玩。

小三，教孩子做計畫表、畫重點

三年級後，我不再坐在旁邊陪寫功課，只要他們應該已經學會的事，我就要求他們自己處理，但我會教孩子怎麼做計畫表。

尤其是兒子個性比較散漫，他每晚一回家，都要先在紙條上寫下他當晚時間的安排方式給我確認，然後照著預估的時間表執行。雖然我不坐在旁邊，但我會檢查成果。

我對「功課要好好做」這件事非常嚴格，比方說生字若寫得不好，我會擦掉要他們重寫。好好認真寫，可能寫一遍就可以馬上去玩或休息，潦草應付的下場，反而得重做兩三遍。

于珺三年級開始，**我教她用不同顏色的螢光筆和紅筆畫重點，自己學著從課文中找出各種可能的出題方式**，讓她了解讀書不能只是傻傻的從頭念到尾，必須要從不同的角度與方向理解思考，也要能跨課綜合觀念。

像社會科，若念到某項內容有呼應到前面教過的東西，可能被拿來做整合比較的，我就會指導她找出來，在兩課頁面上都記下另一頁的頁數及重點。

做幾次以後，小孩子自己就會懂得怎麼整理出自己的觀念架構，不會養成不加思考就死K參考書的習慣。

小四，教孩子上課做筆記、整理考卷、做段考複習表

上四年級後，我買筆記本給她，要她從社會科開始嘗試上課做筆記。**記筆記可以幫助孩子上課專心，也可以學會抓重點**。我給她的提示只有盡量做到邊聽邊寫、記多少算多少，不要為了記筆記而錯過老師的授課內容。

一開始，她筆記本上只有短短幾行字，也常對我抱怨她不知道該記什麼，不過慢慢的她就摸索出竅門，後來她不但會幫自己出複習卷，還會出題目給弟弟做。

四年級以後，我要孩子自己整理考卷及做段考複習表。

我幫他們準備很多講義夾和透明文件袋，用標籤標示，然後孩子就會自己把發回來的大小考和段考考卷依順序收入。

我常笑說自己是A4媽媽，所有東西都以A4為標準規格，教他們收納歸檔。

由於平常就已經整理好，**考試前拿出該科的夾子，曾犯錯過或不會的考題一目了然**，對考試前的複習很有幫助。

國、高中後，孩子的功課，父母不用操心

我幫孩子設計的段考複習表，表格橫軸是分課分段的考試範圍，縱軸則是科目，**每科下面再分課本、習作、參考書、評量和考卷。**

我規定他們，最慢段考前一週要暫停休閒活動開始複習，進入考前衝刺狀態，所以之前就要把計畫表填寫好，才有辦法照著計畫進行。

三、四年級以後，**段考一、兩週前，小孩自己就會把空白表格印出來填寫，然後貼在衣櫃的門上，每做完一項就在格子內做記號。**

這樣一來，哪些部分已經念完或念過幾遍就很清楚。萬一有來不及念或沒複習到的地方，下次考試或期末考時可以特別注意補強。

小學高年級以後，我不再過問課業細節，只提醒他們學習若有困難，無法自己解決，一定要來找我商量。

于珺北一女一年級時，念書還算輕鬆愉快，但高二的第一次段考後，她有點懊惱的對我說：「高二科目變多了，段考複習一個禮拜時間好像不夠。」

從那時起，她就自動把段考的準備時間提早為兩週。

兩個孩子國、高中以後，讀書和應付考試都完全自己負責。

俗話說：「給孩子魚吃，不如教他釣魚。」父母盯功課的目標和方法正確的話，就像是給孩子一支釣竿，親身示範釣魚的技巧與方法。

短短兩三年時間的密集基礎訓練，足以讓孩子未來具備自製釣竿、拓展漁場的能力。

北一女畢業時，獲「市長獎」。左為北一女張碧娟校長。

怎樣才能把書念好？（一）——從生活教育做起

沒有學習動力的孩子，年紀愈大愈拉不動，所以常常會聽到家長抱怨：「我很想認真盯孩子功課，可是孩子不聽我的，根本盯不動啊！」小學時代的成績，有很大的比例可以是家長的成績，但父母的影響力最多只能勉強延續到國二，接下來就是靠孩子自己的硬仗，所以，及早建立孩子的習慣才是根本之道。

「怎樣才能把書念好？」這兩、三年來，不論是家長或媒體，常常有人問我這個問題。

大家都很急切的希望我能在幾分鐘內提供清楚可循的方法，最好有一二三四五的教戰守則，甚至我怎麼兇、怎麼罵都具體量化，跟著照表操課就可以讓孩子靜下心來讀書，下次段考立刻進步五名十名。

老實說，我沒有任何妙方。

教孩子就跟天下所有事一樣，是要下功夫花時間磨出來的。

幫助孩子找到讀書的動力

我認為父母、師長想讓孩子好好讀書的祕訣，不是教他們「得到高分與好名次的方法」，而是協助他們養成一種「積極主動的態度與習慣」，這也就是我為什麼要用這麼多篇章，說明如何從小幫忙孩子建立基本觀念，以養成良好習慣與態度。

能不能認真努力讀書的根源，在於孩子想不想讀、願不願意讀，尤其孩子年紀越大，自我意識越強，家長很難再像小時候那樣掌控孩子的行為作息。

我們一般所說的「讀書方法」，只是技術性的表面層次。條條大路都可以通羅馬，只要孩子有心想要追求成績表現，不用教，他自己也會從各方面去學習鑽研、找出最適合自己的方式，所以大部分的孩子做有興趣的事時，效率很高，也可以很專注。

沒有學習動力的孩子，年紀愈大愈拉不動，所以常常會聽到家長抱怨：「我很想認真盯孩子功課，可是孩子不聽我的，根本盯不動啊！」

小學時代的成績，有很大的比例可以是家長的成績，但父母的影響力最多只能勉強延續到國二，接下來就是靠孩子自己的硬仗，因此有些小學時的明星學生，若是因父母強力介入課業拉拔出來的「假資優」，或是倚賴父母監督沒有自律能力，上國二、三後表現逐漸黯然，也就不奇怪了。

補習不是改善學業的最好方式

我今年五月到捷克旅遊，同行有一位高階退休公務人員，目前的工作是管理中途之家，讓我十分好奇。

我向他請教，對這種一般印象中最難以管教的青少年孩子，他們到底是用什麼樣的方法來「對付」呢？

他說，沒什麼特別的方法，就是需要**時間和耐心**。

這樣的孩子通常十幾年來，都是長期在缺乏關愛或錯誤管教中成長，需要給他們很多次的機會去驗證，輔導人員和老師給他的規範和價值觀對他是好的。幾個月或一、兩年的時間，要去扭轉十幾年累積下來的負面影響，真的非常困難。

此外，他還提到這一類孩子最大的問題是，他們的情緒反應都是即刻的，比方說聽到不順耳的就嗆聲，被挑釁就動手打回去，想要什麼就用搶的，因為他們只看得到眼前，無法想到未來並深思後果。

這方面也需要輔導人員一再給他們改正的機會，幫助他們了解還有很多解決事情的方法，指導他們符合社會規範的處理方式。最重要的是，讓他們明白，為了達成未

來的目標或避免不好的後果，他們必須學會「忍耐」。

我之所以舉中途之家的例子，是想藉此再次強調兩點：

第一，**好習慣、觀念的養成很困難**，要改掉壞觀念習慣更困難，尤其是從小養成的最是根深蒂固，所以我在文章中總是一再提醒大家，**必須有計畫、有意識的「從小開始」**。

父母如果在孩子比較大以後，才驚覺孩子成績退步或學習情況不良，一定要仔細觀察孩子的生活作息和讀書狀況，研究問題出在哪裡，並檢視自己一直以來的教養方式和親子互動，有沒有應該改進的地方，不要第一個反應就是補習。

請家教或補習不一定能解決問題，我見過不少家長因為孩子成績不理想而送去補習班，花許多時間補了好像沒進步，但不補又怕更退步，結果進退兩難。

「從小開始」、「先緊後鬆」兩大教養原則

第二，讀書、學習和練習，在未達到「從學習中得到快樂」的境界前，無一不辛苦。希望孩子具備「為了未來的遠大目標而克服眼前枯燥困難」的能力，不論在物質或精神上，從小就不該給孩子予取予求、過於自由放任的溺愛環境。

為了更豐碩的收穫而忍耐延遲「得到」的時機，是人類非常珍貴的能力。想要什麼就可以馬上得到（更糟糕的父母是孩子沒要也亂給一通），這樣的孩子對事物的態

度，就會只看得到眼前，無法前瞻遠景目標，並為之忍耐努力。

因此，**從生活教育訓練出來的良好習慣與態度，對日後學習態度的養成非常重要**，一定要「先緊後鬆」。從嚴格的生活教育做起，就不會養出有學無品的資優生，即使學業成績不優秀頂尖，也會是個品行端正的好人。

掌握「從小開始」和「先緊後鬆」兩個大原則，只要能夠持續貫徹，父母要灌輸孩子正確觀念，協助建立良好習慣與態度並不困難。

建立孩子的習慣，父母務必堅持到孩子十歲

從身邊案例不難發現，言行態度頑劣乖張的孩子，家庭教養方式通常鬆散、無原則，父母也很善於幫闖禍的孩子找藉口收拾殘局。

訓練小小孩，稍稍的嚴厲就很容易達到效果；只要能堅持到十歲左右，內化成孩子自發性的習慣，往後到十八歲，親子都會處在一種逐漸放手、倒吃甘蔗的狀態下，不但沒有叛逆期的困擾，還會愈來愈輕鬆。

我所說的良好習慣是生活作息規律、健康，做每一件事都認真、負責；良好態度是指對責任目標有正確認知，懂得尊重感恩身邊所有的人，這兩者，都需要嚴密的身教與言教配合。

身教的重要性，大家很容易理解，但言教的威力也不容輕忽，因為言教講好聽點

是「諄諄教誨」，講直接點就是「洗腦」。

從小一再被強化灌輸的觀念想法，一定會內化為一個孩子長大以後賴以生活行事的中心思想，這也就是為何從小被家暴或受過創傷的孩子，長大以後很難擺脫童年的陰影；從小被寵溺、我行我素的孩子，也絕不會因為長大而自動變得成熟懂事。

我建議**父母利用不同的形式，不論是閱讀、說故事、談天……反覆透過各種面貌方式，向孩子傳達自己的價值觀、信念和期待。**

當然，做父母最大的責任，就是珍惜重視上天賜給我們的這項巨大影響力。它可以改變、形塑孩子的一生，行使前務必深思熟慮。

希望孩子好好用功讀書，不該只是一再鼓勵打敗競爭對手爭取高分名次，其他都不管。教好做人做事的觀念態度，父母能得到的回饋更多，對社會的貢獻更大。

我常利用新聞事件讓孩子明白，世事無常，唯有學到身上的知識、能力是屬於自己的。

我也常常提醒孩子，能夠心無旁騖的專心念書，這樣的環境條件不是理所當然，他們應該要為此感到十分幸運幸福。還是生活新鮮人的小孩不會抗拒老生常談，若我們誠懇的和孩子分享，他們是會聽進去的。

如果孩子相信所有的學習都是為了自己的將來，而不是為了父母的面子、純粹的服從師長，或其他沒什麼道理的理由，他們就會懂得爭取與珍惜。

以「過來人」之姿，和孩子分享

于珺小學時，曾因為不適應一位老師教數學的方式而開始討厭數學。當時我花了好一番功夫，以「過來人」的經驗告訴她，我們一生要讀這麼多年的書，在每個階段任何科目，都有可能遇到跟自己比較不投緣的老師。

若因為不適應老師的教法或不喜歡老師而討厭某個科目，甚至因此放棄學習努力，吃虧的其實是自己。

任何科目的學習都需要花時間下功夫，如果不那麼喜歡，可以不要花這麼多時間在上面，但一定要勉力維持住自己能力可及的水平，以銜接下一階段的學習需求。

除非是走技職路線，不然對想考大學的孩子來說，到高中為止，各科目的學業都是基礎，都應認真學習。

即使不往學術深造，將來進入職場，數字能力對成本財務的控管絕對關鍵；語言能力對業務拓展、人際往來和知識吸收很有幫助；邏輯思考分析、體能品味美感，無一不重要。

一個人需要多面向的根基來培養人生的廣度、厚度與深度，如果能夠理解學校的學習，是為自己的將來打造全面性的基礎，就不會老覺得學這無用、學那無聊。

以前我念書的時代，一般觀念就是男生念理工，女生學文科，因此當我高中開始覺得數學困難枯燥，沒有經過任何深思掙扎，就放棄數學、放棄念理工組，從此與我其實很有興趣的物理、化學分道揚鑣，至今我還是覺得很遺憾。

當年如果有人告訴我，高中數學並沒有這麼難，高中階段以下所有的科目，只要願意花時間努力都可以有所突破，不論我終究選擇哪個方向，我想我的學習之路可以走得更寬廣、更愉快。

我以自己的切身經驗跟于珺分享，她也接受了我的建議，因為她已經具備為長遠目標勉力承難的能力。那兩年，我就眼看著她很努力的在每次段考把數學成績維持在班上一、二名，但僅此而已，平時她絕不願多花一點時間在數學上面。

所幸上了國中，碰到了適合她的老師，她從此又愛上了數學課。一直到高中畢業，她心智更為成熟，選讀第三類組，從來沒有不喜歡的科目，即使偶爾遇到不符自己理想的老師，她也會調適心情，自己努力。

國中時的于珺。

怎樣才能把書念好？（二）——專注

為了訓練孩子專心，從六、七個月大起，我規定孩子不可以邊吃邊玩，國中畢業以前，我絕對不允許他們寫功課時邊看電視或邊上網。

但像弟弟這樣比較沒定性的孩子，我只好先縮短要求他專心寫功課的時間，並加長休息間隔。

比方說同樣年紀時，于珺可以專心寫功課長達一小時以上，休息十到十五分鐘又可以繼續，但弟弟只坐得住半小時，我就先從三十分鐘要求起，讓他休息二十到三十分鐘後再戰，但這三十分鐘，我不會允許他恍神或找藉口跑掉。

很多年前，有一則譯自西方的新聞報導，說世界上最優秀的人才和很會讀書的小孩，其實都是「外星人」投胎轉世，竟然引起相當熱烈的轉述與討論。我們班一群家長為學校活動聚會時，眾人在閒聊中談到這個話題，忽然有人指著我說：「你女兒就是外星人！」

旁邊幾位家長聽了紛紛點頭附和，從那時起，于珺在家長間就有了「外星人」這個外號，每每在家長們七嘴八舌的討論該如何改善班級秩序或學習態度的問題時，只要有人眼睛瞄到我，一定會說：「啊！你女兒不一樣。她是外星人，不正常！」

大家會覺得于珺「不正常」，不是因為她總是名列前茅，而是她從很小開始，就表現出一種一般孩子沒有的沉穩與專注。

我常常聽到老師或愛心媽媽對我提及，上課時不論同學多吵，于珺總是不為所動，兩眼直視老師專心聽講，絕不會跟著同學起鬨。班上若有讀書風氣不佳、上課情緒浮躁等種種問題，對她好像都沒有絲毫影響。

于珺這點應該不是像我，因為我從小是個活潑多話的孩子，很少專心上課。我在這裡必須很不好意思的承認，小學六年，我在上課時間應該吃掉總共不下一百包的王子麵，還讀完了整套的東方出版社故事書和瓊瑤小說。

女兒不補習、不熬夜？

不過身為母親，跟我自己過往的經驗對照，我倒是深深體會到孩子專心上課的好處。因為上課認真，女兒課堂上的學習都很扎實，回家後寫功課和複習花費的時間並不多，也不用補習；因為按部就班，她從來都不需要在考前臨時抱佛腳，不像我，從小就是個熬夜大王。

我念書的成績一直都很好，但一路走來，回頭檢討卻感到後悔，因為越往高深的學問追求，越能感受到自己的基礎不夠穩固。我發現以往利用小聰明、短時間投機取巧的讀書方式，或許僥倖得到好成績，但學到的東西不夠扎實。

我常常和孩子們與家長們分享這樣的心得：所有的讀書和學習就像蓋金字塔，必須細心慢慢堆砌，也要有耐心，不貪快、貪高，準備好夠大、夠穩固的基礎再向上發展，越往高處時，速度就會越快、越輕鬆。

一開始草草求速，必然會留下許多空隙或鬆動處，未來一定會被迫回頭四處補救，甚至可能會因為不夠牢固垮掉而從高處重重摔下。

別讓孩子邊吃邊玩、邊寫功課邊看電視

由於這樣的體認，孩子從很小開始，我就希望能幫助他們養成專心的習慣與能力。從六、七個月大起，訓練孩子自己使用湯匙吃稀飯或副食品，我規定他們不可以邊吃邊玩，吃完以後才可以從娃娃椅下來。

不論讀書或玩，我都希望他們專心，因為**專心可以讓時間的使用最有效率，而有效率的使用時間是拉近「地才」與「天才」先天差距的唯一方法。**

現在的電子產品提供一心多用的環境，像電視可以同時開好幾個螢幕、電腦可以

開好幾個視窗，但我相信一個人要先能專心，才有辦法「分心」，所以在國中畢業以前，我絕對不允許他們寫功課時邊看電視或邊上網，但我可以接受他們邊聽音樂邊讀書。

當然，的確有些孩子的天生特質比較能夠專心，就像于珺一樣。同樣是我的孩子，偉庭就活潑好動、話又多。他有點小聰明，小學時常常上課隨便聽聽，不用怎麼念書就可以考很好，但是我絕對不容許他因此得意自滿，所以在這方面的訓練更加堅持。

訓練專注力，父母必須花精神協助

聰明靈活的孩子因為成果得來容易，常常會比較懶得下功夫，我一再提醒他上高年級、國中以後課業量會劇增，沒有養成專注、認真的好習慣，將來必然會吃到苦頭。

像他的儀表、靈活反應和好嗓子總能為他爭取到演講比賽的機會，但我從不稱讚他因為天生優勢而有的好表現，我會盡量讚美、鼓勵他在準備過程中的專心、認真或努力，並強調其重要性。

專注力的訓練，需要家長花時間精神去協助。在〈小一，就把習慣養好〉一文中，我已經說明了孩子低年級時，我如何坐在旁邊盯他們寫功課和讀書。

像弟弟這樣比較沒定性的孩子，我只好先縮短要求他專心寫功課的時間，並加長休息間隔。比方說同樣年紀時，于珺可以專心寫功課長達一小時以上，休息十到十五分鐘又可以繼續，但弟弟只坐得住半小時，我就先從三十分鐘要求起，讓他休息二十到三十分鐘後再戰，但這三十分鐘，我不會允許他恍神或找藉口跑掉。隨著年齡成長，觀察他的狀況，我再慢慢把時間延長、調整。

時間表和讀書計畫表，幫助專注力養成

對課業的專注能力需要責任感和時間觀念，小孩子不可能天生就具備，所以父母需要藉由擬定時間表和計畫表來協助建立。

制定簡單明確的生活作息時間表並嚴格執行，可以讓孩子了解不同時間段要做不同的事，以及自己有哪些責任要履行，也會知道在計畫時間內達成目標，就可以享受自己喜愛的休閒活動。

小學一年級開始，就可以帶著孩子以週為單位做生活和讀書計畫表。

男孩子通常執行力比較差，或比較會利用學校考試教學的變動而取巧偷懶，所以偉庭一直到國中，我還是會要求他每天一回家，都要先依照聯絡簿做好當晚的功課計畫安排。

時間表帶來的規律作息，可以讓孩子有健康的身體和安定的情緒；時間表也可以

幫助孩子養成自我克制的能力——想玩可以，但必須先把排在前面的責任依序完成。

父母的工作不是搶著幫孩子安排，而是在教孩子方法，引導他們執行一段時間之後就逐漸放手，退居一旁觀察輔助。

學會自己擬定計畫表又能夠遵循的孩子，就具備了自我期許和自我約束的能力，自然能夠針對目標，專注學習。

陪孩子，透徹檢查功課及考卷

我另一個訓練專注力的方法，是要求孩子寫完功課或考卷後，一定要非常仔細的從頭到尾檢查至少一遍，如果時間允許，就要檢查兩到三遍，養成習慣，在自己能力所及的範圍內，把錯誤減至最低。

小學中年級以前，他們拿回來的考卷我都會看，如果錯的是他們不懂的地方，我不會責怪他們，只會協助他們弄懂並認真訂正。不過，如果他們犯的錯是因為粗心大意，比方是漏題、看錯題意或寫錯格子這一類的，通常會被我修理得很慘。

關於這一點，我如此嚴格的理由，是因為我希望孩子從小就能明白一件事：人生有很多事情是經不得粗心大意的。

我們常會聽到一些類似這樣的案例：某某小孩成績很好，但在大考時卻因為粗心漏寫了一大題，或填錯格子，導致表現跌破大家眼鏡。

考試的粗心失誤後果自己承擔，但長大進入職場後，我們還要擔負起對他人和社會的責任。一九八一年外雙溪上游無預警放水，導致景美女中與達人女中多名戲水師生溺斃的意外事件，肇事原因竟是自來水處員工的「一時疏忽」，讓我印象非常深刻。

不論是散漫或嚴謹的處事態度都是後天養成的，我期待藉由嚴厲的處罰，讓孩子習慣於專心處理責任內的每一件事，才不會因為一時的漫不經心鑄成無法挽回的大錯。

嚴格要求孩子上課專心

我對孩子上課態度的要求很嚴格，常常叮嚀他們要專心聽講，不要像媽媽小時候那麼不懂事。

就算有一百種不喜歡、不欣賞某個老師的理由，基於對老師的尊重與確保自己和同學的學習品質，也絕對不可態度桀驁、挑釁或擾亂上課秩序。

如果他們回來沒有充分理由卻批評老師，我就會要求他們先考出滿分或班上最高分再來談。

我最擔心他們會覺得課程太簡單、無聊的是英文課，因為為了我們自己出國的需求，我很早就讓孩子學英文，他們的英文程度超前學校進度非常多。

我提醒于珺和偉庭，由於年齡和理解力的關係，小時候學的英文，在文法基礎

上比較不夠扎實深入，而學校的英文課雖然感覺上簡單，卻是從頭扎根文法的最好機會，務必好好把握。

如果實在覺得上課內容太簡單乏味，我教他們的處理方式，是利用上課時間把老師正在上的那一課文法、句子和生字徹底背熟，這樣回家就完全不用為考試複習英文了。其他的科目若有相同的情況，也可以這麼做。

我希望家長們不要在尚未驗證的情況下，就懷疑學校的進度安排和老師的教學能力。現在的老師平均年齡、觀念和學歷，與我們讀書的年代已經大大不同，其實遇到教學能力不適任老師的機會不是這麼多。

于珺高三的時候，我曾聽一位成績也很好的同學家長說，她的孩子高一那年，跟著別的同學去上理化先修班（學校高二才上物理化學），事後她覺得滿後悔，因為高一時孩子心態上覺得是先上，聽不太懂好像理所當然，比較不會認真，而當學校有活動或大考時，孩子常會毫不猶豫的向補習班請假，所以學得不深入，也不完整。到高二時，回想起來那一年的先修課佔去不少時間，卻沒有收到應有的成效。

其實，理解高二的物理化學，需要很多高一、甚至高二的數學基礎，國中的物理化學情況也是一樣，足夠的理解能力配合正確時間點的學習，才可以收到最大的效果。

絕大多數的學校都有搭配完整的學習進度，**上課認真聽講**、**回家確實寫作業和考前踏實複習**，**學生只要按部就班就可以達到成效**，不適當的補習反而會錯亂孩子的學習腳步，讓孩子沒有足夠的自修和休閒時間。

于珺高中雖然沒上過任何補習班的先修課程，但她上課專心，加上我一再叮嚀她好好跟上學校的複習和考試進度，我發覺其實只要能做到這兩點，根本不需要補習。

有些家長把孩子的時間塞太滿了，讓孩子完全沒有消化吸收和反芻整理的機會。

把課本念熟是關鍵

我記得于珺高一、弟弟國三時，我對小男生無法靜心衝刺的散漫態度有點頭痛，就問于珺：「你國三時讀過哪些參考書，寫過哪幾本評量通通拿給我，我叫你弟弟一模一樣照寫一遍！」

當時于珺很疑惑的看著我說：「我沒有念什麼參考書啊？基測題目都以課本為主，把課本念熟就好了！」

課本是所有考試和題目的基礎。現在參考書氾濫，很多孩子從小習慣倚賴參考書的條列重點，沒有從完整陳述的課文中培養自己思考和整理的能力。

小學時，我都是要求孩子先把課本熟讀兩遍以上，才准他們開始利用參考書。評量好好做，最多兩本也就夠了。我會先把答案部分裁掉（千萬不要相信孩子生來就有絕對不會偷看、不會抄答案的高尚情操），等孩子寫完再拿給他們對答案，錯的地方我規定一定要訂正，並清楚的用紅筆做記號，以便將來考前複習。

順道提醒一下個性比較迷糊的媽媽們（尤其是有兩個以上孩子的）：裁下來的解

答，要確實標明屬於哪一本參考書或評量，找資料夾依序收好，放在固定的地方，才不會在孩子寫完要對答案時，媽媽卻找不到解答！

于珺北一女畢業前夕。

怎樣才能把書念好？（三）——堅持

如何讓孩子在課業上堅持？以于珺為例，因為去美國念大學是她自己和我們協商之後訂下的目標，我們不需鞭策她，她自己就有動力堅持下去。

而堅持的過程中，自然會鍛鍊出解決問題、排除困難的能力。

撇開少數資優的孩子不談，根據我的觀察，書念得好的孩子通常具備兩種特質：除了「專注」，還有「堅持」。這似乎也是在各行各業出人頭地必要的條件。

堅持當然不是指固執，而是堅定、持續的執行力。

這些年來學業競爭上，已經很少見到國三或高三才衝出來的「黑馬」，因為現在的家庭孩子少，多數家長從孩子很小就投注相當多的注意力在課業上，比較不會放任孩子懶散。

在父母的關注提攜下，天資聰穎的孩子，多半從小學起就已經嶄露頭角，加上現在的表現管道多元，要靠短時間追上表現優異的同學並不容易，所以從小開始的專心**度、紀律和持續力**，成了學業表現好壞的關鍵。

幫助孩子設定目標，讓孩子知道自己為何而戰

學會做計畫表並不困難，真正的考驗在於有沒有自制力與毅力持續做下去，直到達成目標為止。

拚命搶在起跑點，沒有持續力也是枉然，所以在做計畫的同時，設定目標很重要。

目標分為短期和長期，比方說，短期目標是針對某一次考試，長期目標則可能是下個階段的就讀學校。

有了目標，才有努力的方向，才會知道自己是為什麼而堅持。

有些家長，非常認真的幫孩子安排補習才藝，每天盯著孩子讀書，對考試分數錙銖必較，但在這樣做的同時，如果大人自己都沒有想清楚用功讀書的目的是什麼，缺乏有說服力的目標在前面，孩子在進入青春期以後，或許因為逐漸形成了自己的想法，或許因為遇到困難挫折，就會進而質疑，讀書不是為了自己，而是為了父母的顏面或期待。

現在的家庭孩子生得少，多數父母都希望不要輸在起跑點，全力支援孩子學習，期待把孩子教育成精英。問題是，人生有很多階段，一路努力拚命衝，跑這麼快、搶先的目的是什麼？

大人們在談笑間常會說，跑快，跑慢，人生的終極目標就是墳墓，何苦一生汲汲營營？那對孩子而言，又何嘗不是如此呢?!

愈大的孩子愈需要知道自己為什麼要設定這樣的目標、知道自己要的是什麼。「我都是為你好」和「我這麼辛苦都是為了你」這樣未經深思的答案，無法解答孩子心中的疑惑。

父母親能做的，就是運用自己的生活經歷與判斷力，協助孩子隨著年齡成長，提升高度、放寬視野，為自己的未來做判斷並勾畫藍圖，然後在孩子堅持努力的過程中和遇到挫折的時候給予支持。

每個人的家庭環境、條件、需求和期待都不同，對於目標的設定和藍圖的規劃當然也不一樣，但我認為協助孩子釐清讀書學習的目的並找出目標，就是父母最重要的功課之一，這絕對比參考一百本K書技巧還有用。

協助孩子，建立自己的讀書方法

讀書的方法當然可以參考別人的經驗，但**最好的方法，還是要靠自己親身體驗用**

心摸索。

我大四的時候，曾經短暫的跟著畫家王美幸老師畫過一段時間水彩和粉彩畫，當時我覺得她很奇怪，只讓我看她畫，卻從來不肯教我技巧，也不大願意幫我改畫，而且每次都叫我畫玫瑰花，畫到後來我都有點煩了。

她說：「看我怎麼畫，然後你自己去想要如何表現，因為我不希望你學了半天，結果畫得跟我一模一樣。你已經具備了畫畫的基本功力，只要你有辦法自己摸索出來，就會是你自己的能力與風格。」

一週一次總共畫了十幾張後，有一天，她幫我在地上把畫依序一字排開，我很訝異的看到了自己在短短三個月內不知不覺中的進步。

教得太多、方法準備得太方便周全，就像動不動就送補習班或找老師加強，被動的填鴨和制式化的「方法」，無法培養出孩子愛學習、勤動腦的習慣。

一些美食家朋友在聊到國內的餐飲大環境和廚師水平時，常忍不住拿來和日本的廚師做比較。

日本的餐廳學徒要從最基本的打雜做起，苦很多年才有機會拿刀拿鏟，加上大廚很少會開口教，小徒弟們都要學會「偷看偷練」，但如此堅持數年鍛鍊下來，才真的具有獨當一面的硬底子功夫，有能力自我成長、持續進步。

讀書是日後思考與做事的絕佳訓練

從孩子上高年級起，爸爸和我就常常和孩子做這方面的談話，從中了解孩子的想法和興趣，以我們的人生經驗審慎幫忙評估，然後陪著他們做出適合自己意願的理想選擇。

像于珺，因為去美國念大學是她自己和我們協商之後訂下的目標，我們不需鞭策她，她自己就有動力堅持下去，而堅持的過程中，自然會鍛鍊出解決問題、排除困難的能力。

我常跟孩子聊自己讀書和學習的心得。我覺得上學、讀書都是思考方法與做事能力的訓練，讓我們得到進入社會所需要的獨立思考、自我學習和解決問題的能力。

有了這些能力，就能夠從點滴累積的生活經驗出發，為自己描繪出益發清晰的人生圖像。

這些能力，不論從事哪一種行業都很有用，連對我身為一個家庭主婦的生活管理，甚至思考如何養育孩子的方法，都很有幫助。

就算是廚師，除了在技術上精益求精，也要有做學問的能力，才有辦法提升境界更上層樓。像日本做懷石料理的廚師，在獨立門戶前後，都需要不斷自我充實詩詞、

書法、繪畫、花道等各種文化藝術的涵養。

每一個人的人生終究是往不同的方向去，我們的目標不是打敗每一個階段的競爭對手，而是藉由競爭者的砥礪，激發出自己更多的能量。

不論有沒有達成計畫中的目標，即使一時沒有令人羨慕的機運，堅持的過程可以增加我們的實力，為自己持續製造出更多的機會。

當實力累積，成功自然找上門

實力的累積沒有捷徑，而持續累積的實力總有一天會帶給我們回饋，我們必須讓孩子看到並珍惜這樣的收穫。若能學會從過程中觀察到自己的成長、得到快樂，那就更棒了。

高二那年，于珺不知道是在報紙還是網路上，看到台北市文化局舉辦的「漢字文化節」，其中有一項活動是「98新春開筆萬眾1新．挑戰書法揮毫金氏世界紀錄」，邀請一萬名以上的民眾一起揮毫迎接新年，締造金氏世界紀錄，同時也可以參加書法比賽。

當時她覺得這個活動滿有趣，反正元旦放假沒事想報名，就來問我可不可以陪她去參加玩玩，我當然立刻就答應了。

在刺骨寒風中揮毫。

但是，元旦前一晚卻發生了一點意外的狀況：于珺臨時約了兩位同學去看跨年煙火，然後一起回來住在我們家。當時我想揮毫活動是第二天下午的事，應該沒有影響，只跟兩位同學說好元旦中午她們必須回家。

沒想到三個小女生聊了整晚徹夜沒睡，第二天差點爬不起來。起床後因為熬夜累，孩子們又覺得意猶未盡，當下于珺就動

了不出席的念頭，讓我非常生氣。于珺向來成熟懂事，我很少像那天那樣跟她僵持。

我還是請同學們中午回家，然後對她說：「雖然妳只是萬人中的一人，感覺上似乎微不足道，但**對自己、對他人都要重諾**，這一點我非常堅持。」

她這才板著臉去參加了。

老實說去了之後，我自己也有點後悔，因為那天是年度低溫，非常冷，活動在華山創意園區的戶外，風很大，不論站著、坐著都直打哆嗦，當時心想自己何必如此堅持，在家窩棉被不就好了？

為了于珺肚子餓又冷，我還走了好遠，去幫她買便當和熱飲回來（其實走回來就冷掉了）。不過既然去了，她還是好好的把作品寫完交卷才回家。

結果，那一次的萬人揮毫活動，她很意外的得到了高中組特優，她自己非常高興。藉由那一個活動，我再次讓孩子了解堅持不放棄任何機會，成功就會自己找上門來。

看來，要讓孩子學會堅持，需要也很會堅持的老爸或老媽。

一個孩子若能表現專注與堅持，那他在課業上能得到什麼樣的成績，已不這麼重要，因為他可能只是在讀書方面比較沒有天分，但這樣的能力還是可以幫助他在其他方面得到成功與回饋。

努力卻沒有得到合理結果，那才可能是讀書方法和技巧的問題，如果還是希望在課業方面有所突破，這個時候再去參考坊間林林總總關於讀書方法的建議，才真的有意義。

樂在學習

基測第一天考完回來，爸爸和我都小心翼翼，完全不敢問于珺考得如何。

吃晚餐時看她一聲不吭，餐後又面無表情的回房間，這下爸爸可緊張了，擔心她可能考壞了心情不好，硬要我去「偷看」一下狀況。

我躡手躡腳的靠近，想偷聽看看會不會有啜泣聲。沒想到她竟然正在聽「空中英語教室」！

我打開房門問她：「明天還要考試，你怎麼不輕鬆一下？」

她笑笑的說：「聽英文可以放鬆心情啊！」

「媽咪，我今天好失望！」偉庭小學中年級時，有一天放學回到家，一看到我就抱怨。

「今天是學校的讀經發表會，我前幾天一直在心中默背，已經背得很熟了，所以我好希望～自己會被抽中。結果沒被抽到，真是太、太、太可惜了！」

看他扼腕、遺憾的樣子，我心裡忍不住想笑……太陽打西邊出來了。這個小孩真是很少在「準備充分」的狀態下參加競賽或考試，所以平常總是祈禱不要「倒楣」被抽到，這回好不容易背得比較熟，難得希望自己被選中卻無法如願，所以「失望很大」。

我對兒子說：「你們這些小朋友真的很不簡單，這麼小就把《大學》背熟了，媽媽小時候都沒背過，好佩服你們喔。」

當然，忍不住要趁這個機會再對他強調一次：「有收穫、有學到東西最重要。想想看你有多厲害，國文功力又增強一級了！媽媽陪著你練功，也覺得自己國文程度變棒了呢！」

和孩子一起準備比賽，過程重於結果

孩子們小學的時候，每當學校有這一類的活動或比賽，不管算不算分數，我都會鼓勵他們認真以對，甚至幫忙複習或練習。

于珺和偉庭到中年級以後，自己應付學校功課都沒有問題了，課業方面我就交還給他們自行處理，不再涉入太多，但是比賽、演講、表演等等，我還是會陪伴他們準備和練習。

有些家長認為背誦經書無用，又沒有分數，像經書發表會這類的活動，會故意幫孩子請假避開驗收的日子，我不會這樣做。只要是學校要求大家都要做到的事情，我不幫孩子規避責任。其實，學習不該太功利，**在記憶力和吸收力超強的中小學階段，多背無害**。

語文是可以先知後懂的，待理解力漸漸增強的日後，反芻咀嚼自然會知其意味，反而是長大以後常常想背也沒有時間，或根本就背不起來了。

除非學校有不合理的規定或要求，家長應該盡量跟學校統一態度和立場，就跟父母必須同一陣線的道理一樣。

偉庭獲台北市南區英語演說特優。

對於比賽，女兒抱持平常心

我非常注重所有練習準備的過程，盡量抽空跟孩子一起體驗點點滴滴的酸甜苦辣，不過對於結果，不論好壞，我都會以輕描淡寫的態度帶過。

成功了，不用太驕傲得意；失敗了，我們還

是心存感謝，因為努力的過程讓我們學到很多，實力也增強了。任何考試和比賽都是證明我們的能力更上層樓的機會，一定要好好把握。

于珺國二時代表學校去參加台北市國語文競賽的書法比賽，有一位很要好的同學同時代表參加朗讀比賽。由於兩個人都頗具實力，而且孩子們都很清楚，這個比賽如果能拿到前三名，將來申請高中時可以加分，所以孩子本身和學校的期望都很高。

比賽當天一早，兩人請公假到校外參賽，朗讀組比賽完當場就宣布名次，結果那位同學只得到第四名，非常傷心的大哭，媽媽只好讓她請假回家休息、調整心情。書法組是傍晚才公布結果，所以于珺下午就回到學校上課。

當天放學後她回到家，跑來用我的電腦上網查名次。由於她花了很多時間精神練習那一次的比賽，我滿心期待的站在旁邊跟她一起看結果……很可惜，于珺也只得到第四名。

當時看她的表情有點失望，不發一語的起身回自己房間，我有點擔心她是不是很難過，心裡頗猶豫該不該跟過去安慰她。等了二十分鐘，我實在忍不住，決定去看看她有沒有躲在房間裡哭。

我打開她的房門一看，大吃一驚，因為我完全沒有想到她正在寫毛筆字！

我問她：「你不是剛比賽完，你現在在寫什麼？」

她臉上看不出一點傷心或難過的樣子，繼續認真的寫著，一邊回答我：「兩個禮拜後還有歷史博物館的比賽，字體不一樣，要趕快開始練習了。」

國三，女兒自訂聽空中英文，從未間斷

上國三時，于珺暫停了我為她安排的校外英文課程，全心衝刺基測，但為了不讓英文程度退步太多，我們決定那一年期間用每天聽半小時ADVANCED空中英語教室的方式過渡，所以她每天回家吃完晚餐，第一件事就是回房間開電腦聽英文，之後才開始念書。

基測第一天考完回來，爸爸和我都小心翼翼，完全不敢問她考得如何。

雖然我們一再交待她不要跟同學討論，也不要對答案，但吃晚餐時看她一聲不吭，餐後又面無表情的回房間，這下爸爸可緊張了，擔心她可能考壞了心情不好，硬要我去「偷看」一下狀況。

我躡手躡腳的靠近，想偷聽看看會不會有啜泣聲。沒想到，她竟然正在聽「空中英語教室」！

我打開房門問她：「明天還要考試，你怎麼不輕鬆一下？」

「聽英文可以放鬆心情啊！」她笑笑的說。

于珺在第一次基測就以全校最高分的成績考上北一女。

她國三期間不論第二天有沒有大小考試，晚餐後聽英文這項自訂的功課從未間斷，沒有一天需要我叮嚀、督促。

我覺得良好的習慣與規律的作息，可以讓孩子有穩定的情緒和清晰的頭腦；兩個孩子在國中時，幾乎每晚都在十一點以前上床睡覺。

成功不光靠努力

女兒對大小賽事考試的平常心和情緒調整能力，讓我感到很放心，我覺得她面對壓力的沉著穩重，甚至超越很多成年人。要能做到這一點，必須先要懂得放輕得失心。

我常常提醒他們**不要把任何一次的考試或比賽當成「終極目標」，而是我們努力過程的階段性「成果檢驗」**。

孩子們上高年級起，我總是教他們不妨用比較長的時間感來對照眼前的這一刻：每一個階段我們拚命追求的「結果」，在生命過程中其實只是一個小小的時間點。

我們一切的努力都可以為將來儲積能量，都是為了自己的人生能夠順利推展，只要全力以赴、問心無愧就好，任何一個時間點的成敗都不足以代表人生的成敗，不需為之得意或喪志，也不該停滯、執著，要學會整理心情，很快的跳過去，維持積極樂觀的態度繼續向前走。

于珺和偉庭都是學習表現良好的孩子，從小他們也已養成負責而努力的習慣與態度。上國中以後，鼓勵他們進取的同時，我也會告訴他們成功不是光靠努力，還需要運氣，所以對於目標與成果，要保持平常心。不過，雖然運氣並不在我們自己的掌握中，但成功的機會絕對只屬於有努力、有付出的人。

我有個朋友說得很好：「就算天上掉好運下來，還得要有那個本事去接。」我的人生座右銘就是「盡人事，聽天命」，大概從小「洗腦」成功，兩個孩子對我這一類的「訓勉」都倒背如流。

解題就像破關

面對辛苦的學習，這些年下來，孩子們都已發展出自己一套克服惰性、苦中作樂的方法。于珺會把解題想像成破關遊戲，偉庭則利用不同科目的相互調配，來增加讀書的變化與趣味。

我最感欣慰的是，兩個孩子在我的鼓勵下，一直到念完高中都沒有不喜歡的科目。

曾有記者問于珺最討厭哪一科。當于珺回答「沒有，都喜歡」時，記者覺得不可思議。最後記者小姐只好修改問題：「那你最喜歡哪一門課？」才得到了「體育課」這個答案。

學習的樂趣可以時時存在於生活中的每一個細節與角落，汲汲營營只為達成某種目標或成就所得到的快樂，卻相對飄忽短暫。

好勝心和責任感可以激起短期的自我鞭策力量，但只有對學習目的的充分理解和發自內心的熱情，才有辦法長期支撐起克服難關的毅力。所以，我認真的陪伴他們細細體會學習的歷程，教他們如何轉個念頭從中發掘樂趣，讓他們了解讀書不是為了父母、為了面子，而是為自己的將來奠定基礎。

在達到目標點之後，無論成果如何，陪著他們回憶學習的過程，觀察自己的成長，從自己的收穫得到成就感與快樂。

當孩子能夠樂在學習，他們自然會有韌性與智慧，以健康的態度去面對生活中的壓力、困難與失敗。

補習

當遇到課業上不懂或不會的東西，我要求孩子練習解決問題的三個步驟：一，先不要放棄，自己很努力的換幾種方式想想看，想不出來，再找參考書看看找不找得到解答。

二，去問問那一科很厲害的同學或老師。若經過這兩個步驟後還是有困難，就要盡快來找我，我再幫他們想辦法。

事實證明，如果孩子有認真執行，前兩個步驟就綽綽有餘了。

「高媽媽，我前幾天去數學T老師那裡幫我女兒報名，我們學校很多畢業生都會去那裡補習，不搶先登記很難擠進去，所以我就順便把于珺名字一起寫進去排隊了。記得要先去參加分班考試喔！」

女兒小學快畢業時，班上一位女生的家長特地打電話來告訴我這個消息。由於這位同學上面還有兩個哥哥，她媽媽對學校狀況和家長間最熱門的補習動向瞭若指掌。我對補習資訊向來後知後覺，有這種經驗豐富又熱心的家長朋友願意主動幫我忙，讓我覺得既感謝又窩心。

T老師多年前是女兒學校國中部的數學名師，離開學校後經營個人補習班，採取二、三十人的家教班形式，老師熟稔學校的教學進度和考試方式，上課內容等於是為我們學校的學生量身打造，因此很受家長的歡迎。

在家長們的經驗傳承下，許多孩子小六還沒畢業就去報名，完全像登記學校的暑期班一樣理所當然。

不過，對於于珺到底該不該補習這件事，卻讓我相當苦惱。

補習，來自周圍孩子家長的「比較」？

她小學上過很多的才藝課，但除了大幅超前學校進度的英文課程之外，沒有去補習班補過習。

我向來的原則是，只讓孩子上才藝課，以及跟課本不重複或沒有直接關係的加深加廣課程（比方自然科學的實驗操作班）；**課業方面，我要求孩子在學校必須要認真聽講**，自負成敗。如果學校成績退步，或覺得時間安排不過來，就從比較不重要的才藝課一個一個刪除。

但看到女兒即將進入國中，所有的同學不論成績好壞，幾乎都已經開始到補習班「先修」，不免擔憂。雖然她以前功課都沒有問題，但上國中以後呢？會不會因為大家都補習，只有她沒補而跟不上？

我相信很多家長一定跟我一樣，常有這種因「同儕壓力」造成的憂慮感，深怕自己少做了什麼，害得孩子未來表現不佳。

從小到大，這樣的訊息壓力與日俱增，恐慌通常不是來自於自我要求，而是與周圍孩子家長的「比較」。

補習班做的事，孩子自己做不到？

我打電話去T老師教室，請教對方像女兒這樣小學一直保持班上第一名的孩子，需要補數學嗎？

電話那頭傳來回答：「來考試看看啊，通過的話，我們可以試試還有沒有位子可以轉進資優班，不過因為資優班已經額滿，就算程度可以，可能也要等到有人跟不上退出的時候。」

原來數學家教班也跟坊間的大補習班一樣，有所謂的「資優班」。

我相信跟優秀的孩子一起學習，只要能力相當或不打擊到自信心，會是一種相互提升的良性刺激。不過無論如何，一般補習班所謂的「資優班」或「精英班」，可能就是進度快點、難度高些，但補習班做的事情，不外乎整理、重複課程重點，並盯著孩子做題目反覆練習。這些，**不都是孩子必須具備的基本讀書功夫嗎?!**為了達到這樣的補習成效，孩子必須付出大量的時間和體力成本。

我問自己：一樣的課程內容，我的孩子需要聽兩遍以上嗎？整理和反覆練習的工作，難道孩子自己做不來嗎？

許多人都相信「絕不能輸在起跑點」，像我們這種私立學校的家長經濟條件許可，對於能提升孩子成績的任何方法，只要是花錢可以解決的，絕不手軟，因此各種加強措施五花八門。

我曾聽說過最誇張的一個例子，是一位家長在孩子國三時，由於學校要求每晚留校夜自習，但她覺得不補習加強不行，為了節省孩子時間達到最大效益，因此在學校旁邊租了一個小公寓，邀幾個同學一起聘請各科老師，讓孩子們在晚上九點放學後直接衝去租屋處，上課寫習題到晚上十一點才回家。

如此安排真的比較好嗎？我不知道。不過先不談孩子撐不撐得住這樣的作息，我確信連我這個做媽的，也沒有那位家長的體力與毅力。

女兒對補習的分析

就在我猶豫不決時，我恰巧又聽到了兩個T老師數學班的案例。

另一位同學的姊姊，小學一畢業就跟著同學去上課，沒想到上國中以後，對數學的興趣隨著成績每況愈下。這個孩子對補習數學感到厭煩，每每為了要上補習課痛苦不堪，但自己又害怕不補成績會更糟，只好在進退兩難間勉強持續下去。

這位媽媽很感慨的對我說：「當初提早送去不知道對不對？究竟是把對數學的胃口補壞了，還是不補表現會更差？我也搞不清楚……」

另一個狀況發生在我的國中同學女兒身上。

我同學本身也是小學老師，她女兒上國中以後數學成績不理想，原本沒有補習，但經過一個學期之後，女兒自己提出希望跟同學到T老師教室上課，她就去幫女兒報名參加。結果上了一陣子之後，成績果然好轉，孩子自己很高興，學習起來也比較有信心和興趣。

參考這兩個案例，經過一番考量之後，我決定婉謝朋友的好意。

我對于珺說：「我想我們還是不要先去補習好了。不補習的話，你可以有比較多的時間安排自己想做的事。第一個學期你就好好跟著學校進度，靠自己的能力試試看，覺得有必要加強我們再去補習。」

事後看來，我們很幸運的做了正確的選擇。

于珺小學時，雖曾因不適應老師的教學方式，一度對數學失去興趣，卻也因為國一碰到一位適合她的老師而重拾對數學的熱情。由於于珺對生物和物理、化學都很有興趣，國中我唯一讓她持續下去跟課業比較有關係的，只有能增加她實驗操作機會的自然科學課。

國二升國三的暑假，另一波補習潮又如火如荼的展開。學期剛結束，好多同學就立即參加校外補習課程，我們全家則跑去南非玩了兩個禮拜。

回到學校時，我們班導師似是玩笑又像嚴肅的對我說：「高媽媽，你是最懶惰的家長。我們班前三名，只有你女兒沒去補習還跑出去玩！第三名那位同學為了搶好位子已經報了全科班，媽媽每堂課都進去旁聽呢！」

由導師口中說出來的話，讓向來老神在在的我也不免緊張。所幸我有學妹經營補習班，我就情商學妹讓我女兒去試聽幾堂。

上了兩天下來，于珺回來告訴我，她覺得自己應該不用去。

她說：「補習班的老師口才和台風的確很厲害，不過上的東西學校都教過了，應該不用重複上。還有，為了抓住學生的注意力，老師要花很多時間講笑話，這些都很浪費時間。我想我自己複習、做題目就好了。」

孩子能夠這麼清楚的分析利弊，我大大鬆了一口氣，那兩天終究成了于珺唯一的大補習班經驗。

補習，是補強，而非「補在前面」

我聽說不少孩子夜自習請假兩三晚出去補習，回家已經超過十點，還要念書和寫

學校功課試卷，多半要凌晨一、兩點才能睡，第二天六點多又要起床。

于珺自律能力好，我向學校申請不留校夜自習，因此國三晚上她每天都回家吃晚餐，晚上十一點準時上床睡覺，一週晚上兩到三次每次三十分鐘的跑步機運動和週末打籃球，直到考前都沒有停過。我相信這是她基測時能保持良好精神與體力的最大原因。

對補習的需求因人而異，尤其是要上班或覺得無力輔導孩子的家長，或許比較需要補習班幫忙解決孩子的學習問題。

不過這些年的經驗下來，我更確認了自己向來對補習的基本看法：除非有專門科目比賽競試的需求，或是運氣太差碰到不適任的老師，不然補習應該是發現不足後針對問題的補強，實在沒什麼必要「補在前面」。

雖然有些孩子因為先學過了，在學校成績表現好、得到自信而更加努力，但也有不少孩子因此影響在學校的上課情緒。尤其是定力較差的小男生，常常會覺得自己已經學過，都會了，或覺得學校老師沒補習班老師厲害，上課不認真聽講，不但浪費時間，還進而影響讀書和寫作業的態度，在學校考不出理想的成績，讓許多家長有「明明提早去補習了，怎麼還考不好」的疑惑。

補習班的教學以重點整理為主，也傾向提供難度較高的題目，讓家長以為孩子的程度可以因此超越同學，其實**反而不如學校教學基本、完整**。我曾經聽說有孩子從補習班學會了一些比較花俏的解難題技巧，學校考的基本題卻不會。

家長不能盲從，應針對孩子需求

弟弟偉庭的自制力沒有姊姊好，我採取的方式是請家教老師或參加只有五、六人的小型家教班，這樣的老師比較能照顧到每個孩子的不同需求。上課時間都不長，目的在希望老師協助監督複習進度和解答問題。

在學校認真聽講、擬定讀書計畫和做練習題，我還是要求偉庭自己要做到。

于珺國二時，我們曾經考慮讓她報考北一女的數理資優班（以前是在基測外另外招考，是數理強但文科較弱的孩子進第一志願的另一個門路），這種考試的準備學校無法提供協助，因此我讓她去上過一段時間準備數理資優考試的小型補習班，不過在她考高中當年，資優班又改成進高中後再考。

進北一女後，她考量自己目標在申請美國大學，決定不考慮資優班，以免為了參加各類科學競賽，而沒有時間準備SAT的考試。

關於要不要補習，我想家長們要把握的重點就是多聽，多權衡利弊得失，但絕對不要盲從，一定要針對孩子的需求。

的確有不少很棒的補教老師和補習班，也有些孩子很能善用補習班的資源加強自己的能力，但消息不靈通、沒跟上某些課不見得是吃虧，因為錯誤的選擇，賠上的是孩子最珍貴的時間成本。

不妨多向前輩家長們請教，通常成績表現或個性能力接近自己孩子的案例經驗，比較值得參考。

要求孩子學會解決問題的三步驟

曾有家長對我說：「你自己很會念書，都可以自己教，所以才不需要補習吧！」其實上小學高年級以後，除了偶爾幫他們改改中英文作文或指導戲劇表演和演講稿，我沒有教過孩子功課。

我總是對孩子說：「讀書是你們自己的事，有問題要想辦法自己解決。」遇到不懂或不會的東西，我要求孩子練習解決問題的三個步驟是：第一，先不要放棄，自己很努力的換幾種切入方式想想看，想不出來再找參考書看看找不找得到解答。

真的無法解決的話，第二步驟就去問那一科很厲害的同學或老師。千萬不要排斥去請教老師，因為教懂學生是老師的工作和義務，絕對沒有老師會討厭認真好問的學生。

經過這兩個步驟後實在還是有困難，就要盡快來找我，我再幫他們想辦法。事實證明如果孩子有認真執行，前兩個步驟就綽綽有餘了。

所以，從小奠定學習方法和態度真的很重要，**孩子愈大，應該會發展出自己的學習方式，愈不需要補習**。像于珺進入高中以後，除了我們自己安排與學校課程無關的英文和日文課，真的是「零補習」。她還會利用寒暑假買下學期的課本來讀，自己考

于珺在史丹佛。

過北一女的生物和英文免修。這樣的孩子，就已經具備了進大學所需要的自主學習能力。

電腦與網路

于珺的自我約束力比較好，所以在她上北一女之後，我就讓她開始自由使用網路。

但在開放之前，我還是很仔細的交代了「節制使用時間」、「仔細選擇網站」、「不能影響功課」、「不可結交陌生網友」、「不得上網購物」等幾項要求，違反就沒收。

不過，在我看似周延的管控下，兒子還是出過狀況，而我馬上當機立斷，完全沒有妥協空間。

電腦和網路對家長而言是相當麻煩的東西。現代人的生活離不開電腦和網路，但它們確確實實對孩子的學習過程與人格養成有著巨大的影響力。現在的家庭作業少不了上網查資料，但孩子的心智不夠成熟，網路充斥著太多不適於他們閱覽的影片和資訊。要怎樣約束孩子，實在讓家長們傷透腦筋。

我有一個朋友夫妻都不善於使用電腦，工作也忙，因此兒子小學時，只要功課做完，就任由小孩上網，結果孩子常跟同學一起玩線上遊戲。

上國中以後，她發現兒子功課一直退步，耗在網路上的時間很多，當她想開始限制孩子上網時，已經進入青春期的男生完全無法接受，母子因此常常吵架，家裡的氣氛總是劍拔弩張。

現在的孩子從小學起，就常有查資料或做報告的功課需要使用網路，不可能要求孩子完全不碰電腦。但個人電腦和手機使用的普及，也不過是這十來年的事，我這個年紀上下的家長成長於無電腦時代，有很多人根本不使用，也不太了解電腦和網路，因毫無頭緒而在這方面的管教錯失先機。十幾歲的孩子一旦沉迷其中，想回頭約束，通常會演變成很大的親子衝突。

馬上「當機立斷」

偉庭學齡前，市面上只有電腦遊戲（那一類型的遊戲黏著度比較低，家長容易控制玩的時間），直到他小學低年級時，線上遊戲才流行起來。當時因為同學們在學校都在談論線上遊戲，他回家功課寫完後，也常吵著要玩，但我覺得玩線上遊戲似乎需要比較長的時間，很難要求孩子在我們規定的時間點準時下線，讓我有點為難。

奶奶和爸爸都幫他請命：「孩子也需要休閒嘛，功課寫完，讓他玩玩有什麼關

係？」

我想想也對，於是跟兒子約法三章，只要功課寫完，該做的才藝功課都做完，就讓他玩。可是一、兩個禮拜下來，我就發覺苗頭不對。

線上遊戲牽涉到許多「戰友」，常常必須配合大家的時間，出任務或打魔王時也不是想停就可以停，因此黏著度非常高，玩的時間長短很難控制。

接著更糟糕的情況出現了——我發現他寫功課時會心不在焉，也開始會為了爭取玩的時間，草草完成功課，有時甚至故意漏掉一、兩樣，騙我說他寫完了，要我簽聯絡簿。

原來玩線上遊戲會上癮，難怪被叫做「電子鴉片」。

小孩子心智不夠成熟，尤其是男生對誘惑的抗拒力更差，在開始上癮之後，要他們懂得離開如此聲光刺激有趣的線上遊戲，選擇相對枯燥乏味的讀書學習，真的很困難。

「癮」的需求會模糊一個人的判斷力、泯滅一個人的良知，因此我覺得教養者對任何可能會讓孩子上癮的東西，都應該要格外小心，防患於未然。

我把這個狀況告訴爸爸。我家的元老級「宅爸」其實對網路誘惑和陷阱相當了解。他常常開玩笑說，他讀書的年代要是有電腦和線上遊戲，他應該考不上建中和台大；有鑑於我是負責管理孩子作息的人，他同意由我來裁奪網路的使用方式。

我想想，電腦和網路發展日新月異變化之大，實在不是我這種電腦白痴可以想像和掌握的，於是我決定長痛不如短痛，從那時起，全面斷絕小孩子的網路自由使用權。

用密碼鎖住電腦，阻絕孩子上網

我家在電腦和網路方面相當先進，十幾年前孩子剛上小學時，家裡每個成員就都已經有自己的電腦，每個房間的電腦也以網路串連。孩子房間內的網路線都已經預留，但是我們用密碼鎖住，所以孩子們只能利用電腦寫作業和玩電腦遊戲，無法上網。

剛開始偉庭不大開心，可是那時他才小二，尚未深陷其中，我也還可以用權威壓制，所以執行起來難度不高。

我規定姊弟倆都不可以隨意上網，更不准玩線上遊戲；如有功課需求，或想休閒上網和同學聯絡聊天，就到我的房間使用我的電腦。

他們在用我的電腦上網的時候，我不會盯在旁邊看，但我都會「恰好」在他們旁邊做家事或走來走去。線上遊戲只有在寒暑假，才會有限度地開放。

剛開始時，兒子還會來問什麼時候可以開放他上網。

我說：「等你小學畢業再說。」

他很疑惑：「為什麼爸爸都可以玩呢？」

爸爸的回答更妙：「等你念到和我一樣的學位，我就不會管你了。」

別把電腦放在孩子房間裡

一旦讓孩子明白「玩線上遊戲」和「自由上網」不再是他們休閒的選項之一，斷念之後，就不會再浪費時間精神鑽營、想辦法爭取，孩子們很快就靜下心來照著該有的步伐作息。

從小規定如此，日久他們習慣了，娛樂和精神寄託就會轉移到比較健康有益的事情上，慢慢的，年紀大一些，自然能懂得父母的用心與理由，也不會來抗爭。

之後到兒子高年級和國中時，常常在家長日聽到其他家長痛陳網路之害，卻束手無策，我就覺得很慶幸當年當機立斷的處置。

一個孩子需要相當足夠的成熟度才有辦法抗拒誘惑，在那之前，絕對不要心存僥倖。

至於孩子需要的電腦技能，反正我的目標不在栽培他們成為遊戲高手，我選擇在寒暑假讓孩子盡興參加自己喜歡的電腦課程。

我哥哥在我自己經營的親子館教授電腦課，我們的小班制班級人數都很少，因此在老師（舅舅）的監督下，我可以放心孩子能學到真正有用的電腦知識與能力。

我對家長們的建議是，不要把電腦放在孩子的房間裡，尤其是男孩子。我在學校家長日時常聽到老師說，有些小男生白天上課時都在打瞌睡，似乎晚上有熬夜的情形，但父母都不知道。

孩子的確有可能利用父母睡覺後，偷偷爬起來上網或玩game，即使是放在客廳或書房等公共區的電腦也一樣，所以在決定開放孩子使用電腦或網路前，最好還是設定密碼。

第二次的「當機立斷」

于珺的自我約束力比較好，所以在她上北一女之後，我就讓她開始自由使用網路，但在開放之前，我還是很仔細的交代了「節制使用時間」、「仔細選擇網站」、「不能影響功課」、「不可結交陌生網友」、「不得上網購物」等幾項要求，違反就沒收。

觀察一陣子之後我認為沒有問題，就准許她用密碼鎖住自己的頁面，一方面防止弟弟跑來用，一方面我也覺得這麼大的孩子，在我認為她值得信任之後，就應該要開始尊重她的隱私。從那時起，沒有她同意的情形下，我絕不會翻看她的任何東西。

不過，在我看似周延的管控下，兒子還是出過狀況。

偉庭剛上國一時，我和先生出國，請我媽媽來家裡幫忙陪伴孩子。有一天晚上打電話回家，我媽說：「你兒子最近每天晚上都在用電腦，我也不知道他在做什麼，連

晚餐都拿進房間裡吃呢！」

當時我覺得不可思議，能讓他如此入迷的唯一可能性，就是他連上網路了。可是他的電腦明明不能上網啊！外婆不懂電腦，我們也只好等到回國再處理。

回台後，經宅爸親自「審訊」，發現兒子不但連上了網路，為了怕姊姊告密，乾脆拖她下水，把她的電腦網路也連上了。

那次週考，于珺考了生平唯一一次的第九名，把她自己也嚇壞了。

我利用那次機會，好好給于珺上了一課。

除了要求她必須做到自我約束，也告訴她身為姊姊，她對弟弟有監督輔導的責任。從那時起，她的確很盡責，後來我們出國，有幾次弟弟出了小狀況，她都會在第一時間通知我。

我們問過公司的電腦人員，不相信偉庭有能力破解密碼，一直逼問他到底是誰教他的。

但在爸爸聽過他的破解過程後，回到房裡來，對我搖著頭苦笑說：「好像真的是他自己破解的，真不知道要生氣，還是高興。」

關於電腦，那是我第二次的「當機立斷」。

我做事很乾脆，要處罰絕不會拖，當下就沒收了電腦。也就是從那時起，別說網路，兒子連可以用來玩遊戲、寫功課的電腦也沒了。

這是我對孩子一向的態度：不能對自己負起責任，就要被剝奪福利、付出代價，

直到他們的表現能讓人信賴為止。因為我們家向來就是沒網路可玩，感受上他也傾向認定自己「違規」，對於我們的處罰只好默默接受。

男孩子成熟懂事比女孩子慢，他們不是沒有是非觀念，但對誘惑的把持力不夠，我也只能耐著性子等待。

直到高二，覺得他真的比較成熟可靠了，我才把電腦和網路的自由使用權給他。

才藝課

除非孩子有特殊天分，否則從小就把多數時間投注在特定才藝上，無疑是提早為孩子選定一種比較狹隘的生活模式。

這並沒有對錯好壞的問題，而是親子都應該要想清楚，如此延伸出來的生活型態，是不是自己想要的。

于珺的書法能持續到高中，且有令人驚豔的表現，並不是我原先的計畫，只是因為後來她越寫越有興趣，我就鼓勵她克服時間上的困難持續下去。

如果隨機抽問這一代的高中生，十個大概有八個學過一種以上的樂器。現在的家長只要經濟能力許可，普遍有讓孩子學才藝的觀念，不過三十年前我念北一女的時候，學過鋼琴的人不多，班上會彈鋼琴的同學，能力足以擔任伴奏的，除了我以外只有一位，所以當時班上合唱比賽都由我當指揮，另一位同學負責伴奏。

在以前那種年代，我算是學過不少才藝的小孩。我學畫畫、學鋼琴、寫書法、學做紙黏土，還參加過台北兒童合唱團。我的家境並不特別富裕，但我母親總是很鼓勵哥哥和我學才藝。她常說：**學到身上的能力永遠屬於你，誰也拿不走。**

我也覺得有才藝是很好的一件事情，拿來當專長或興趣都很棒。像我斷斷續續學過一點西畫和國畫，雖離職業水準很遠不能當飯吃，但確實因此對藝術有濃厚的興趣，因而參觀美術館或接觸相關活動時，比較能感受到樂趣，至今我還很懷念大學時在故宮打工，以及在美國博物館實習的經驗。所以，我也像我母親一樣，很鼓勵孩子多嘗試各類課外才藝活動，希望他們的生活能夠因而豐富充實。

父母先問自己，讓孩子學才藝的目的

很多人一定以為，于珺的才藝是我從她小時候就選定目標，一路計畫栽培上來的，其實不是這樣。

我讓孩子從小就很廣泛的接觸各類才藝活動，希望從中發掘他們的興趣，但找出興趣，並不是為了培養他們成為某一種專業的佼佼者，只是**期望拓展他們的生活面向。**

當然，如果他們能從中找到一項興趣，並培養成將來可賴以為生的專業也不錯。我只有對他們的學業、生活習慣和價值觀，才會以非常嚴苛的標準來要求，因為現在的孩子課業壓力很大，時間也有限，我覺得**養成一種認真學習、努力生活的態度，比**

學會任何才藝都重要。

多數才藝，只要孩子自己有心，等他們成熟一點，想學再學也來得及。不過有幾種專業能力，像是特定的音樂、舞蹈和體育項目，如果沒有從小栽培訓練，幾乎是注定一輩子沒有機會從事相關的工作。但是這一類的行業都極度競爭，即

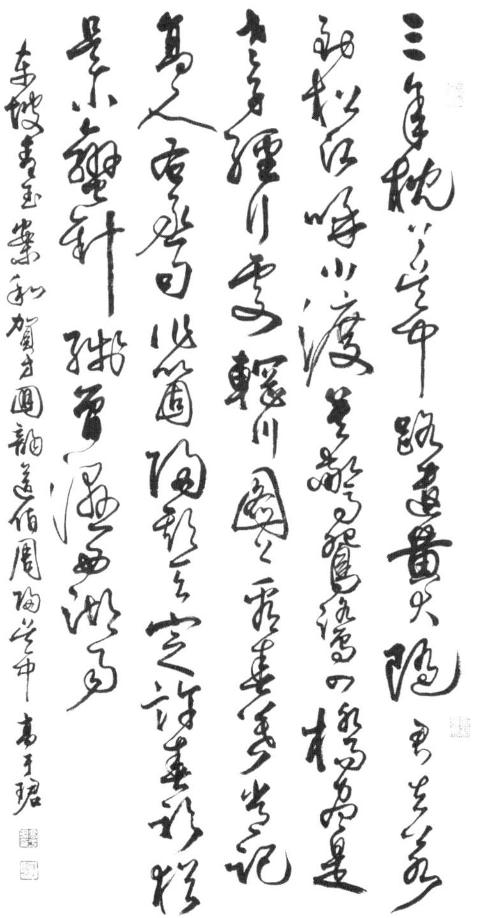

獲二〇〇八年台北市學生美展第一名作品。

使花費很多時間苦練，也不一定有過人的表現，非常辛苦。

除非是孩子有特殊的天分，否則若從小就把多數時間投注在特定才藝活動上，無疑就是提早為孩子選定了一種比較狹隘的生活範圍和模式。這並沒有對錯好壞的問題，而是親子都應該要想清楚，如此延伸出來的生活型態，是不是自己想要的。

我並沒有觀察出我的孩子有這些天分與特質，所以舞蹈和運動方面，我純以休閒、健身的角度讓他們接觸。我要孩子們從小學鋼琴，則是為了給他們基礎，提供他們將來往這一條路發展的可能性。

于珺鋼琴演奏。

我自己學了十幾年的鋼琴，了解鋼琴是音樂學習的根基，像手指的靈活度等種種條件，若沒有從小開始練，將來永遠沒有機會，因此我對別的才藝課態度比較輕鬆，唯獨對鋼琴起步的那兩、三年很嚴格、堅持。

我小時候也很討厭練琴，不過我還是盯著他們衝過初學階段，以掌握相當的彈奏能力，因為我知道將來課業愈重，愈沒有時間學；長大以後才想從頭學習這項樂器，幾乎不可能。高年級以後，時間有限，逼得我們必須在各種活

動中做出選擇，於是我和老師、孩子都溝通得很清楚：鋼琴沒時間練，沒進度也無所謂，目標是讓自己有這方面的涵養和欣賞能力就好了。

女兒高中以後不再繼續彈鋼琴，想改學吉他，我也沒反對，因為音樂專業的路很難走，她不可能拿來當職業，我不過是希望她有個基礎，將來無論想學其他任何樂器都比較容易。

即使學才藝，但仍以課業為最重要

功課以外，小學期間我最重視的才藝課除了鋼琴，就是語文。

雖然語言什麼年紀開始學都可以，但如果想把一種外國語學得像母語一樣自然沒有腔調，就必須越小開始越好。音樂和語言能力，都需要長時間的練習來堆砌。

年輕的時候自己沒經驗，聽人家講哪些課好，都會去試試看。我帶著孩子去上過親子幼兒活動、律動、畫畫、捏黏土、腦力開發、動腦數學、圍棋、西洋棋、游泳、直排輪等等。大一點以後就開始學鋼琴、學英文、電腦、自然科學、閱讀寫作、橋牌、打高爾夫球、羽球、網球、籃球……

我讓他們上過的課種類非常多，尤其在我開始經營明曜親子館的才藝教室之後，各式各樣的課程包括插花、勞作、漫畫、動畫、解剖、街舞、踢踏舞、乒乓球，他們都曾參加，連美姿美儀和戲劇課我都安排過。

我認為廣泛的經驗對於提升一個孩子的視野和格局很有幫助，希望趁兒女課業還沒有那麼忙的時候，多接觸各種才藝，所以孩子小的時候，有空就帶著他們什麼東西都玩玩看，沒興趣就放棄，一切還是以學業為主。

我的原則是不去補習班，學校教的東西在學校認真學好，盡量把課餘的時間拿來做跟課業不重複的活動，只要時間安排得來，孩子想學什麼都好。

我會**協助孩子排出生活上的優先順序**，如果課業表現有不理想或退步的情況，除了英文課不能停以外，我們會把各類才藝課從最不重要的逐項刪除。上了高年級以後，孩子不樂意上的課，我也絕不勉強。

于珺書法能持續到高中，不是我原先的計畫，也非我預料得到。當初會接觸只是因為學校從小學三年級開始教書法，她自己想要嘗試更廣泛的字體練習。

一開始送她去書法班，完全沒有想過要讓孩子在這個領域出類拔萃，只是後來她越寫越有興趣，我就鼓勵她克服時間上的困難持續下去。

陪伴小孩成長的過程中，關於學才藝，我只抱著一種很簡單的想法：在我設想得到以及經濟條件許可的範圍內，盡我所能的提供孩子學習的機會，**增加他們的經驗值**。

身為一個母親，老實說，我很高興我的孩子不是天才，因為天才的榮耀與光環雖讓人羨慕，但掌聲背後的過程，很可能是一個孩子被剝奪的童年，甚至因此失去平凡人生的快樂。

北一女校門的春聯，由于珺書寫。

對父母或孩子來說，不論是因天賦異稟或是靠後天栽培，天才之路未免太艱辛、孤獨。

卷三／

教育孩子之前，先教育我自己

超完美體罰？

「看板人物」節目製作小組來我家錄影時，也對偉庭做了採訪。

記者問他對小時候媽媽管教嚴厲的看法，他說：「我還記得有一次好像是我犯了一個很嚴重的錯，我媽狠狠的修理了我一頓。當天晚上睡前，她來到我床前好好的說給我聽，但那一次她哭了。媽媽很少哭，我第一次看她為了我哭得那麼傷心，印象非常深刻。」

聽到他那一番話，站在門外的我熱淚盈眶。

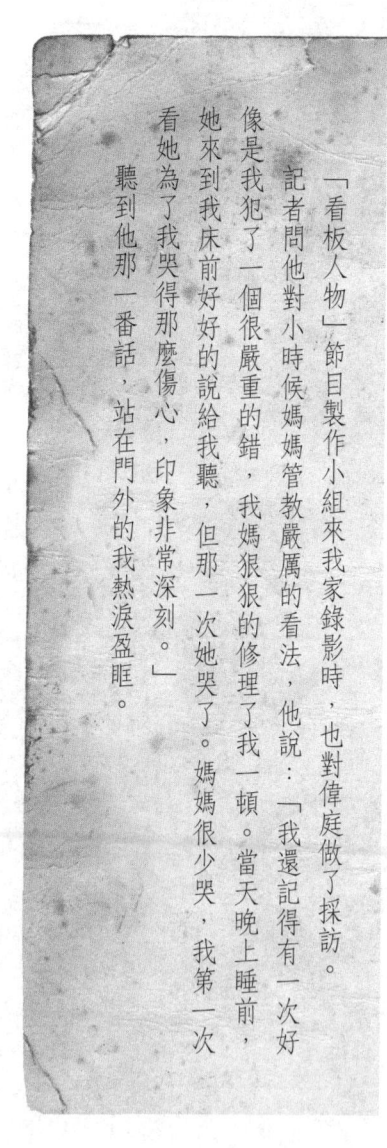

女兒大約三、四歲的時候，有一天在家裡，忽然跑來我面前，用充滿羨慕期待的眼神仰頭看著我說：「我長大以後想要當媽媽。」

當時我感動得眼熱欲淚，忍不住問她：「為什麼想當媽媽？」心中暗想她到底是因為喜歡媽媽、當媽媽可以穿漂亮衣服，還是認為媽媽很厲害，所以自己長大以後也要當媽媽呢？

沒想到女兒毫不猶豫的回我說：「因為當媽媽可以打小孩啊！」

適度的「痛感處罰」，幫助學齡前孩子建立規範

女兒生平的第一個「偉大志向」，說明了我是個會打小孩的媽媽，這一點是很多朋友至今都還不敢相信的。

小孩子小學低年級以前，我打過孩子的手心，也打過屁股。我向來不覺得把體罰當成階段性教養的方式之一有什麼問題，因為我記得小時候媽媽也曾經打過我，但事後我都可以明白她是為我好，從不覺得她不應該這麼做。她平常是非常盡責且疼愛我的母親，之所以會處罰我，都是因為我做了不該做的事。印象中小學二年級以後，媽媽沒有再打過我。

針對幼齡兒童，因為無法經由講道理，來讓孩子明白大人對他們行為上的期待，適度的「痛感處罰」可以幫助建立規範。

對小小孩，所謂「規範」，必須要配合清楚易懂的制裁力量，不然所有的規矩其實只存在於教養者的想像之中。**大人自以為很認真的教養，孩子根本沒接收到**，一點意義也沒有，只能眼見孩子越大越像隻脫韁野馬，卻不知道自己的教養方式有問題。

百分百反對學校體罰

但若有人問我，贊不贊成學校體罰？那我是百分之百反對的。

學齡後兒童已經有溝通能力，可以逐漸理解事情的正當性與合理性，越大的孩子就越不適合用體罰來達到懲處的目的。尤其是青春期的學生，教養必須要讓孩子服氣，師長自己要端正行為，要求要合理公平、有說服力。

若沒有從源頭紓解導正，壓迫就範只能達到暫時遏止的效果，基本上孩子只是暫時被迫「忍氣吞聲」，一旦有機會「反攻」，類似的問題一定會再發生。

雖然的確有不少管教不力的家長，不負責任的把孩子丟給老師去傷腦筋，讓老師授課之餘，還要疲於應付學生行為態度上各式各樣的狀況，但當老師的不應該，也不值得為了一時氣憤或想盡快解決問題，而採用這種個人觀念標準認定上會有爭議的處罰方式，以免給自己找麻煩。

即使是我認為對幼兒可以做適度「痛感處罰」，也不適於在幼稚園由老師來執行，因為我們很難判斷老師的個人情緒管理有沒有問題，還有體罰的方式會不會過重而危害健康。

體罰一直是個危險議題，支持或反對都很難周延，每當發生了家庭暴力或學校不當體罰的案例，就會引發各式各樣的討論，但孩子的成長是有階段性的，不應該不分年紀情境，也不分輕重的把各種體罰籠統混談。

即使是有正面功用的工具，到了不對的人手裡，就有可能會拿來作惡；比方說炸藥，拿來開山闢路或用在戰爭，意義就全然不同。**教養有很多的方法和手段，最重要的還是擔負教養責任的人，有沒有健康的人格與正確的觀念。**

體罰不是萬能丹

我認為痛感處罰比較適合的年紀是學齡前，最晚到小學低年級，年紀再大就不宜了，頻率也應該隨著孩子的溝通理解能力漸增而逐步減少。

輕重拿捏的標準在於絕不能讓孩子受傷或留下傷痕，但要「夠痛」。處罰的力道要做足，才有制裁嚇阻的效果，這一點不論在體罰或是其他處罰方法上都是一樣。

我聽過有父母罰孩子一週不能上網。其實電腦在孩子房裡，父母睡前的確限制嚴格，但卻不知道孩子利用半夜不睡覺起來上網。不准玩電腦遊戲，其實對電子產品使用能力「魔高一丈」的孩子，每天還是偷偷用PSP玩得嚇嚇叫。

孩子很小的時候，處罰要即時，孩子才不會搞不清楚為何被罰。只要教養者夠堅持，有效的執行痛感處罰，很容易，也很快就可以讓孩子懂得尊重父母與遵守規範。

小時候把健康的親子互動基礎建立好，就不會早早被孩子「看扁」，發現父母是完全不需理會的紙老虎。沒有約束力的謾罵，馬上就會被孩子當作耳邊風，變成無效的嘮叨。

孩子上小學以後，大部分的事情都可以用訓話、說理解決，並不會發生像早年電影中的訓子情景，做父母的非得掄著棍子跟在皮蛋孩子後面邊吼邊打。

我常跟朋友說，父母在小孩塊頭比自己大以後就要「識相」些，不要再打罵小孩，什麼事都開始要好聲好氣的說了。這當然是玩笑話，其實是隨著孩子的成長，教養的方式也要跟著調整。

孩子越大，處罰的理由就需要說明得越清楚，**上小學以後，就要改以剝奪權利和限制自由的處罰方式取代體罰。**

體罰後，最重要的事

我曾經問兒子：「小時候我常打你，當時你會覺得媽媽做得不對，很生氣而記恨在心嗎？」

偉庭說：「不會啊！」

我問他為什麼。

他說：「你打完後都會幫我們『擦藥』。」

「看板人物」節目製作小組來我家錄影時，也對偉庭做了一段採訪。當時工作人員和兒子都在房間裡很擠，所以我就站在門外。

記者問他對小時候媽媽管教嚴厲的看法，他說：「媽媽很生氣時，會很兇的處罰我，但在我們心情都平靜下來之後，她都會再到我房裡來，態度很溫柔的清楚說明我被處罰的原因，和她對我的期待。我還記得有一次好像是我撒謊，犯了一個很嚴重的錯，我媽狠狠的修理了我一頓。當天晚上睡前，她又來到我床前好好的說給我聽，但那一次她哭了。媽媽很少哭，我第一次看她為了我哭得那麼傷心，印象非常深刻。」

聽到他那一番話，站在門外的我熱淚盈眶。

孩子能夠了解父母的用心良苦，這一點就讓我感到很欣慰了。

體罰前，父母需做的功課

教養方式百百種，關於要不要採用「痛感處罰」，**我想新手父母最重要的一件事，就是要了解自己。**

一定要客觀的評估自己的情緒夠不夠穩定？處罰的原因理不理性？如果生活上有壓力或不順遂，最好要有能力紓解之後再面對孩子，絕對不能把自己與孩子不相干的不愉快發洩在孩子身上，但過度壓抑自我、只為表現滿分父母的假象也不對。做父母的絕對可以有情緒，孩子應該要從家庭的互動中，學到觀察、理解與尊重他人的心情變化。

熟識我的朋友笑說我的體罰叫「超完美體罰」，因為在充滿愛的健康環境中，就事論事的合理處罰絕對不會破壞親子關係。

什麼是「超完美體罰」？就是不會留下外表傷痕，也不會造成心理「內傷」的痛感處罰。其實有些言語暴力留下的陰影和傷害，甚至遠大於身體上的一時痛楚。無論哪一種處罰，出手出口前絕對要想清楚。

我罵孩子時一定就事論事，音量大、態度兇，但絕不歇斯底里，也不用情緒性或侮辱性的字眼謾罵。我相信對孩子來說，賞罰合理明快但不囉唆的父母，絕對比習慣性罵不停或碎碎念的父母來得可敬可愛多了。

讚美與獎勵

我會讚美經由「努力」得到的好成績，而除了口頭上的讚美，我從來不用金錢或物質的東西作為孩子好成績、好表現的獎勵。

我覺得物質的欲望是無底洞，當孩子把求取好成績當作換得物質獎賞的手段之後，學習這件事對自己的好處不再重要。一旦沒有值得賣力的目標，就會失去努力的動力。

外在的讚美與獎勵，容易陷入一種必須一再加碼的惡性循環。

一位好友常常念我，說當我的小孩太可憐了！她覺得我要求孩子的標準實在過高，明明我的孩子表現很好，卻幾乎沒聽過我主動提及或稱讚他們。

她認為應該是因為我的求學之路太順遂，孩子再好的成績看在我眼裡都沒什麼感覺。如果是她，不辨流水席，也要放鞭炮了！

不論在人前人後，我的確很少讚美兒子和女兒。如果別人問起他們的近況，我會就事實來說明，盡量不加上太過主觀的形容詞。

有些父母會主動在外人面前稱讚自己的孩子多乖多聰明，或說自己的兒子多帥女兒多漂亮，我不會這麼做。我想真正的原因應該是，我覺得每個人看自己的孩子都是最棒、最可愛的，然而美醜好壞畢竟有比較客觀的標準和看法，心裡怎麼想都沒關係，但說出口的讚美還是要適度合理，不應盲目。

近二十年前兒女出生的時候，剛解嚴的社會充滿著各種自由開放的論調，關於教養也是如此。

當時流行「愛的教育」，參考學習以美國為主流的教養方式，主張不打不罵，應該用愛心與耐心包容孩子的一切不當作為。不論對年紀多小的孩子，都必須用理性溫和的方式說明與溝通。

「讚美」，更被當成是幫助孩子建立自信心的萬靈丹，即使孩子做錯事情或表現不佳，做父母的也絕對不能批評責罵，一定要想盡辦法找出正面的評語以鼓勵代替指責。

雖然當時我還沒有豐富的育兒經驗，但我並不認同那樣的觀念。

過度嚴苛的責罵的確不可取，但沒有人是完美的，即使是小孩子，也應該學習了解一般社會觀感中所謂的美醜對錯好壞，而不是活在父母建構的美好假象中。

孩子從小到大，在外面的社交場合，已經聽到不少並不誠實的表面恭維或禮貌寬

容，所以當他們回到家裡，最不需要的，就是盲目鄉愿的讚美。

不符實際的讚美，只有像打嗎啡一樣的自我蒙蔽效果。

做孩子最誠實的鏡子

兒子從高二起，因為課業壓力和缺乏運動開始長胖，比同年紀的男孩子至少多了十幾公斤的體重，雖然我想建議他減肥，但他每晚都必須留校夜自習、每天在學校吃兩餐，要叫這種還在成長中的大男生自己控制飲食實在很困難。

他個子不矮，所以大部分的親朋好友看到他都會說：「他只是壯壯的，不胖啊！」但我還是一再提醒他已經過胖了。

申請學校的工作告一段落之後，我立刻要求他執行減重計畫，教他健康飲食的吃法和固定運動的觀念。

如果我放任他飲食無度下去，每天稱讚他永遠是媽媽心目中的大帥哥，將來小胖變大胖，萬一失去了健康，這樣的母親到底是愛他，還是害他呢？

對於子女，父母除了提供最堅定的支持力量，還應該要做一面最誠實的鏡子，幫助孩子勇於面對自己的缺點與不足，並找出補強的方法。

孩子做錯事情的時候應該提醒他們，必要時更絕對要負起即時懲處的責任，因為孩子長大入社會以後，職場上應該找不到不追究責任又不會罵人的上司，生活上也很難尋得天天好言讚美的伴侶。

不踏實的讚美會讓孩子對自己有錯誤的認知和期待，過度溫柔體貼的家庭環境，反而容易養出任性又經不起挫折的草莓族。

我當然也會讚美孩子，不過正因為我的讚美不輕易出口，孩子們聽到的時候都會很高興，也清楚明白究竟什麼樣的行為或表現才值得讚賞。

當孩子考得很好時，我會稱讚他們因「努力用功」而得到了好結果，非常值得嘉許。我在孩子一上小學就灌輸他們觀念：**把書讀好是他們的責任，有好成績是他們的目標，但做不好也沒有關係，只要有努力就值得讚美。**

于珺小時候常對我抱怨弟弟比她聰明，因為她發現自己很用功，弟弟卻總是輕輕鬆鬆的，就可以得到差不多的成績表現。

我跟她說，小聰明只混得了一時，努力用功的人一定會因為紮實的學習過程得到回報。

我只會讚美經由努力得到的好成績，如果我覺得是僥倖，我一定會提醒孩子不要得意，所以其實弟弟從小到大，因為比較不用功，這一方面被我盯得很緊，很少被我稱讚。

于珺也曾經問我，班上有很聰明的同學，都跟大家說她常整晚上網、看漫畫，為什麼有人可以不用念書就考那麼好。

我一再告訴她，聰明的人學得快，用比較少的時間就可以達到目標，所以可以做

比較多的事，但學問不是無中生有，世界上沒有一個人不用讀書、不必用功就可以考高分。

有聰穎的天資是上天的賜與，要懂得感恩惜福，但不該因此驕傲炫耀。如果上天沒有給你這麼聰明的頭腦，你卻能因為認真努力做出相同的表現，這樣的自己不是很棒嗎?!

不以金錢或物質獎勵孩子

口頭上的讚美以外，我從來不用金錢或物質的東西作為孩子好成績、好表現的獎勵。

于珺四、五歲時，我曾帶她去上一個腦力開發的親子課，課堂上若能完成老師給的活動作業，下課後就可以得到貼紙，做得越多，貼紙越多。

幾堂課下來，孩子總是急著想把題目做完，學習的思考過程非常草率、不用心，我這才發現原來她去上課的目的是「集貼紙」。後來我就刻意把貼紙簿收起來，一下課就帶她離開，不去領貼紙。

上課時，我很認真的陪著她慢慢想慢慢玩，當她成功的解決了問題，我就開心的讚美她、鼓勵她。下課後，我帶她一起輕鬆的去吃點心，聊聊上課的趣事和新發現，引導她享受經由自己努力解決問題的快樂。

所以，在我們家如果孩子得到手機或電腦，都是因為生活上或課業上的需要而不是獎賞；遊戲機或MP3之類的，則是各學習階段畢業時的階段性紀念品。

我覺得物質的欲望是無底洞，當孩子把求取好成績當作換得物質獎賞的手段之後，學習這件事對自己的好處不再重要。一旦沒有值得賣力的目標，就會失去努力的動力。外在的讚美與獎勵，容易陷入一種必須一再加碼的惡性循環。

孩子很小的時候，我用嚴格的管教讓他們養成盡力追求好表現的習慣。好的表現，不論是成績或是行為，本身就會帶來精神上的獎勵，因為真正優秀的表現，自然會得到學校、社會的認可褒揚和老師同學的鼓勵讚賞，從中就會有成就感。

如果能從這樣的成就感得到快樂與滿足，這種心理上的報酬可以源源不絕的從孩子的內心產生，接下來不必父母讚美，也不需要物質獎勵，孩子就會鞭策自己努力。

幽默感

天生的幽默感是一種非常棒的天賦，不但可以讓自己樂觀過生活，也可以用輕鬆愉快的氣氛感染身邊的人，對平常的人際關係和逆境中的人生態度，都有很大的幫助。

這個能力，則是嚴謹認真的于珺個性中比較欠缺的。

我該如何引導她呢？

小學中年級以上的老師，常會要求孩子每天在聯絡簿的記事欄寫小日記，雖然不計分，但可以當作平日的作文練習，老師也可以藉此多了解孩子在家或在校發生的一些事。

這項額外功課的用意很好，但印象中的小日記，對兒子和我來說卻是一件相當折磨人的苦差事。

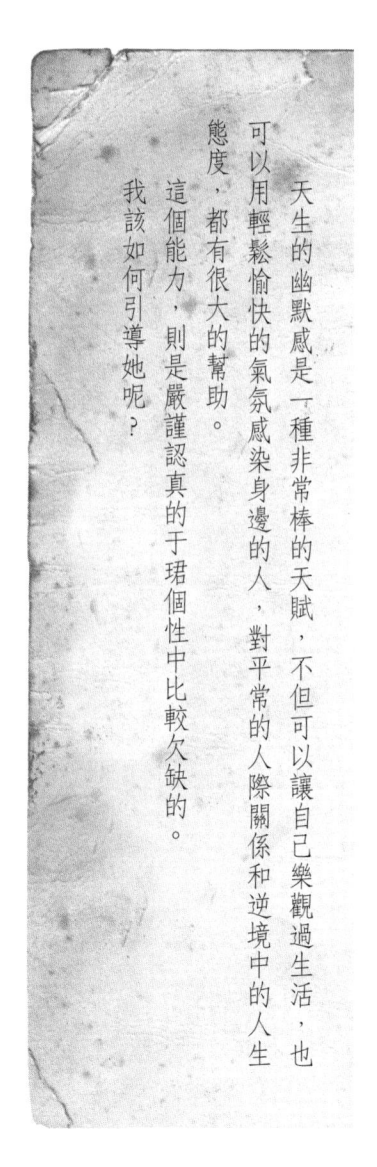

個性開朗的偉庭。

兒子的可愛「日句」

女兒從小手腳快又自動自發，往往在功課完成後，還有時間可以寫一篇相當長的心得小記，主題內容也很廣泛充實，但兒子寫作業速度超慢，又很會摸魚，總是到了該睡覺的時間，還在為日記沒寫或該寫什麼內容而唉聲嘆氣。

我則是在一旁看著時鐘一肚子火，卻不得不耐著性子等他一橫一撇的慢慢畫。偏偏他又常常寫不到規定的五十個字，老是被批「字數不足」四個紅字回來。

我只能搖著頭對他說：「你寫那麼短根本不算『日記』，是『日句』！」

偉庭三年級時，一個學期的聯絡簿裡，至少有兩、三篇小日記的內容是向老師抱怨自己「每天為了寫日記而煩惱」、「快把我的腦子想壞掉了」、「雖然說是對作文有幫助，但是如果每天寫，也不一定每天都有事情好寫」……

老師很可愛，會用紅筆回他：「每天一定有事，不可以給自己找這樣的理由！」

回頭看這些小日記，雖然還記得當時每晚睡前，那一回合的母子拚戰有多辛苦，卻不由得感謝老師的這項要求，讓我們留下許多珍貴有趣的紀錄。尤其是三年級的日記內容最好玩，因為孩子剛剛脫離注音符號的束縛，總算有足夠的字彙與造句能力，完成一篇詞義暢達的小短文。

通常到五、六年級寫的小日記，孩子已經相當社會化，內容比較成熟老練，不像中年級時，寫的都是稚氣純真的內心話，有時還會利用這個機會向老師陳情或告狀呢！

兒子很好笑，因為長期欠缺題材，他幫自己想了一些辦法，像是把他聽到的笑話寫下來、向老師提問（這樣他就理所當然的要為老師留下可回答的空白處），或是舊瓶裝新酒，拿一件持續多日的活動來「追蹤報導」。

三年級下學期他被選去參加演講比賽，有一篇小日記寫的是〈演講完結篇〉：

演講比賽結束後，我和媽媽都鬆了一口氣。媽媽說她終於不會再看到關於演講的日記了。你們猜加上這一篇，關於演講的日記我共寫了幾篇？已經五篇了呢！

這樣寫也可以湊數算一篇，我簽聯絡簿時看了忍不住大笑。

不過無論是哪一種主題，他的日記常常寫得有點蠢，卻蠢得非常有意思。偉庭是個天生有趣的孩子，喜歡講笑話、喜歡分享好玩的事物，也樂於自娛娛人。

有一次他感冒，我帶他去看醫生，他看到醫生桌上有一本《辭海》，雖然病懨懨的，還是忍不住要搞笑，問醫生腦筋急轉彎：「什麼海不產魚？」

偉庭不像于珺那麼自律，成績表現雖然也不錯，但無法如同姊姊那樣總是名列前茅。每回段考後，他就要在日記裡抱怨他的「東方不敗」姊姊實在給他好大的壓力。不過他個性體貼開朗，並不會因此而彆扭搞怪，還是十分喜歡，也很關心姊姊。

對女兒的深切期許

我覺得天生的幽默感是一種非常棒的天賦，不但可以讓自己樂觀過生活，也可以

用輕鬆愉快的氣氛感染身邊的人，對平常的人際關係和逆境中的人生態度，都有很大的幫助。這個能力，則是嚴謹認真的于珺個性中比較欠缺的。

我還記得小時候，我母親常常提醒我們幽默感的重要性。她並不是很會講玩笑話的人，不過她深深感受到一個有幽默感的人，不但自己開心，也可以帶給別人快樂。

她還特別指出，有很多人誤以為愛開玩笑就是有幽默感，其實並不是這樣。有些人會亂取笑別人，自以為很有趣，卻不知道已經非常不禮貌的傷害了別人。謙虛自知的人不怕拿自己來開玩笑，最受歡迎。

我常跟于珺說，高明的談笑能力，有心的話可以後天培養，但不需要勉強；若能做一個隨和誠懇的聆聽者，也很不容易。無論如何，我建議她有一種幽默感一定要學會，那就是包容他人不當小玩笑的雅量，和四兩撥千斤的從容態度。

很多朋友看到TVBS電視訪談後，很驚訝女兒竟然會在電視上以「三八」來形容我。我了解于珺的意思，雖然我也覺得她當下選的形容詞可能沒那麼「恰當」。

跟我很熟的朋友都知道，其實我還滿會搞笑的，我很喜歡跟朋友在一起的時候，能帶動氣氛，讓大家覺得輕鬆愉快。

孩子們上高中以後，我早就不再每天板著臉管東罵西，反而常常刻意在家裡製造點輕鬆氣氛，希望能幫忙他們紓解學校的課業壓力。

尤其是當個性嚴肅認真的爸爸跟他們談論課業或申請學校等等的大事時，常常一再提醒該注意的事項，越講越像在訓話，家中溫度直逼冰點，我就會在這種時候以無

于珺為部落格模擬爸爸臉部表情的書法「大頭貼」。

厘頭的方式插入話題，當場孩子狂笑、爸爸苦笑，整個氣氛立刻輕鬆和緩下來。

既然現在爸爸義無反顧的扮起了黑臉，我過去的黑臉形象可趁此良機漂白，何樂而不為？

女兒，給我們的感動

女兒去年申請到學校以後，爸爸就開玩笑要她用毛筆字寫一幅「頌揚偉大父愛」的詩句或短文，來感謝爸爸的辛苦付出，好讓他裱起來「欣賞」。

于珺因為太忙，總是撥不出時間，爸爸每天都為此碎碎念。

一直到她出國前夕，有一天晚上，她拿了一幅用工整的毛筆字寫在畫仙板上的「爸爸注意事項」來送給我先生，上面列了六條即將離家的女兒對父親的「期許」：

一、勿放零食在書房中
二、多運動，少用電腦
三、相同之事情勿重複三百遍
四、待梁旅珠女士更好些
五、希望他人不使自己擔心，也請勿使他人擔心
六、勿成為宅爸

請放置顯眼處，不時自我提醒

高于珺敬書 庚寅秋

爸爸拿到這份禮物時，雖然假裝很生氣，但其實我們夫妻倆為此笑了一整晚。我真的非常高興，她已經這麼成熟懂事，會為以前那個常常「修理」她的「兇媽媽」仗義請命，也知道了運用幽默感，不但無需直言批評，就可以輕鬆讓對方接受指正與建言，還能同時表達深切的關懷心意。

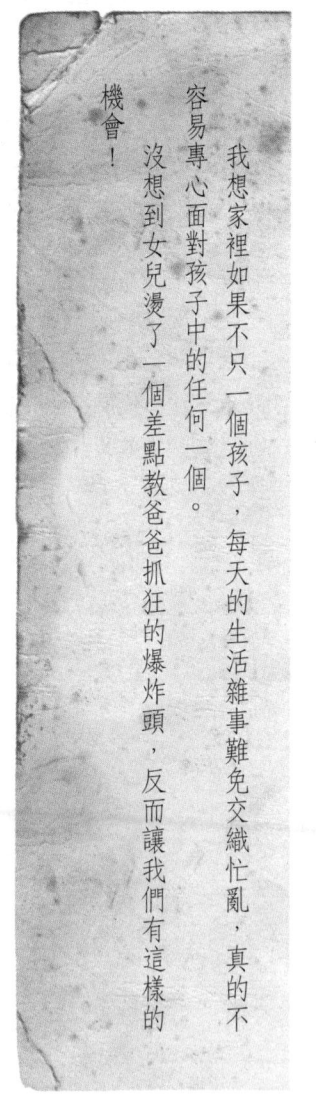

梳頭髮的親密時光

> 我想家裡如果不只一個孩子，每天的生活雜事難免交織忙亂，真的不容易專心面對孩子中的任何一個。
>
> 沒想到女兒燙了一個差點教爸爸抓狂的爆炸頭，反而讓我們有這樣的機會！

許多小學同學，到現在都還記得我小時候的「註冊商標」，是兩條長到腰際的辮子。

當時還有非常嚴格的髮禁，所有男生一進國中就得理成小平頭，女孩子則必須把頭髮剪到耳上一公分。學校檢查頭髮時，訓育組長和教官都是拿尺來量的，女生的後腦勺常會因而露出很醜的「西瓜皮」，所以小六畢業時，連男同學都會為我即將剪去一頭長髮感到惋惜。或許正因為髮禁，要告別童年進入青澀少年期，總有著被儀式烙印般的不捨與無奈。

在保守的年代，不論對男生女生，「長髮」和「自由」幾乎畫上等號，因此即使小學時可以留長髮，在學校也絕對不可以披頭散髮，一定要把頭髮紮得整整齊齊。尤其在我高年級以後，頭髮真的滿長，得天天要媽媽幫我綁辮子。

早上綁頭髮總會佔用許多時間，是我每天上學前的大事；幾年下來，為了節省時間，我都是一邊吃早餐，媽媽一邊幫我梳頭髮綁辮子。

媽媽的手很巧，小時候很喜歡她幫我梳理頭髮。我忙著把熱騰騰的早餐塞進嘴裡，眼前沒有鏡子，只能感受到媽媽忙碌的動作，卻什麼也看不到。偶爾變個髮型，換換不同顏色的髮帶，周圍的空氣似乎就多這麼一丁點兒的自由色彩和情調，而這個

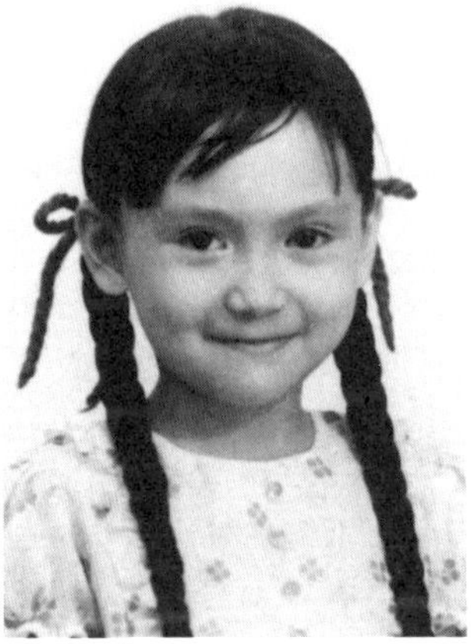

兩條梳得整齊的長辮子，
是我小學時的「註冊商標」。

細微的變化，就是媽媽每天給我的小小驚喜。

女兒的「爆炸」青春宣言

女兒小學的時候，我也鼓勵她留長髮，好讓我有機會每天在她頭上動動手「做點文章」。當時有一位好朋友家裡做貿易，送了我一大箱外銷的髮圈和髮飾樣本，為了這些小東西，我還特地去買了有幾十個小口袋的飾品掛袋來整理。

雖然制服的款式、顏色永遠不變，但我每天總會花點心思，幫她搭配不同的髮圈和髮飾。有時候起床晚了，來不及綁頭髮就匆匆出門，我也都會把「道具」揣在衣袋裡，在去學校的車程中幫她綁。

女兒小二時，有天放學回來很高興的告訴我：「老師說，媽媽每天幫我綁的髮圈都不一樣，好可愛！」

我不由得想起我幼稚園的時候，老師稱讚我：「你的頭髮綁得好漂亮，是誰幫你綁的？」我回答：「我媽媽！」心裡既開心又驕傲。

女兒上國中以後，從乖乖牌搖身一變，成為酷姐一枚，雖然頭髮還維持在肩下的中長度，但她不再要我幫她綁頭髮了，而是每天用個鬆緊髮帶簡單束成馬尾，就這麼上學去。

高中時，她受到北一女自由風氣的影響，更是趁我們出國期間先斬後奏，跟同學

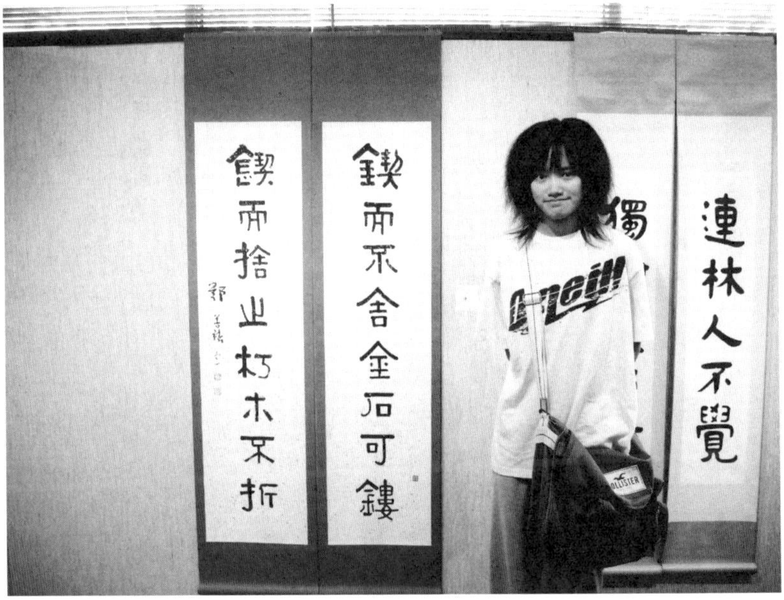

讓爸爸受到嚴重驚嚇的米粉頭，不過這已是半年後長長的樣子。

跑去燙了個超級爆炸頭，一顆頭「炸」成三顆那麼大。

爸爸返台看了，受到嚴重驚嚇，質問她為何燙這麼恐怖的米粉頭。女兒還很嚴肅的糾正我們，那種燙法才不是「米粉頭」，叫做「閃電燙」！

個性保守的先生對女兒「作怪」非常不能接受，其實我覺得還好，因為頭髮總是會長長，一定會再剪，算是非常有「時間性」的軟調青春宣言，應該不用太擔心。倒是隔一陣子以後，女兒自己覺得這種髮型非常蓬，又常會打結，卻無法用梳子梳頭，因而有些苦惱。

我幫她買了叉梳，教她怎

麼處理，結果不知道從什麼時候開始，她天天晚上洗完頭就跑來我梳妝台吹乾頭髮，然後纏著我叫我幫她梳頭。

親密的幸福時光

高二到高三那一兩年時間，她一邊忙於學校功課和社團，一邊還要準備申請美國大學的考試，天天忙得焦頭爛額，所以每晚來梳頭的那二、三十分鐘，就成了我們非常珍貴的談話時間。

她似乎也都趁著這個空檔來我們房間放輕鬆，聊聊學校的一些大小事，或跟我們討論申請大學的進度。

有幾次晚上我趕稿子實在沒空，就請爸爸出馬幫女兒梳頭髮，沒想到後來爸爸竟梳上癮了，這漸漸就成了先生每晚和女兒專心談天的時段，我覺得如此的發展真是棒呆了！

因為女兒長大了，做爸爸的難免越來越有「距離感」，能有像這樣一家人的親密時光，真的讓我們非常珍惜。

我常常一邊寫稿，一邊聽他們父女天南地北的開講；有時爸爸趁機講一些對女兒前途規劃的看法或建議，有時我跟她談談女孩子長大該注意的事，有時三個人會因為她講的同學趣事而笑得東倒西歪。

女兒似乎很喜歡我們幫她邊梳頭髮邊聊天，所以常常梳到半夜還趕不走，一個看起來成熟如大人的十八歲大女生，卻常會像小孩子一樣嚷著：「欸～再梳一下下就好！」

這是爸爸媽媽很專注的屬於她的時間。我想家裡如果不只一個孩子，每天的生活雜事難免交織忙亂，真的不容易專心面對孩子中的任何一個。沒想到燙了一個差點教爸爸抓狂的爆炸頭，反而讓我們有這樣的機會！

幫家人梳頭，就和掏耳朵一樣，有一種親密的信任感，而這種時候的談話，不論主題嚴肅或輕鬆，都可以非常甜蜜溫馨。

我不知道女兒喜歡我們幫她梳頭，跟她小時候，我幫她梳了十年的頭髮有沒有關係。我只知道，像這樣溫柔恬淡的共享時光，不但是美好的回憶，似乎也可以轉化為血液中的安定因子，讓現在的我們，即使相隔十萬八千里，卻依然能夠相互信任、覺得放心。

培養孩子獨立（一）

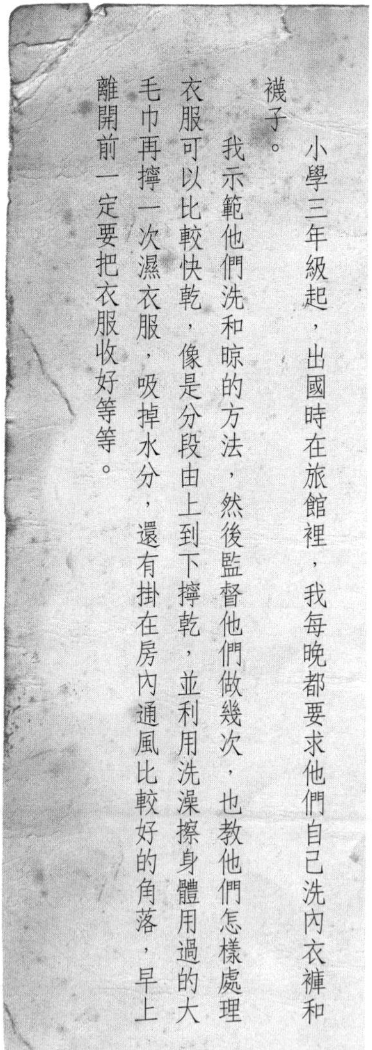

小學三年級起，出國時在旅館裡，我每晚都要求他們自己洗內衣褲和襪子。

我示範他們洗和晾的方法，然後監督他們做幾次，也教他們怎樣處理衣服可以比較快乾，像是分段由上到下擰乾，並利用洗澡擦身體用過的大毛巾再擰一次濕衣服，吸掉水分，還有掛在房內通風比較好的角落，早上離開前一定要把衣服收好等等。

常聽人說，太勤快的媽媽會養出四體不勤的懶孩子；大概就是因為我媽太勤快了，我才會從小懶惰、怕麻煩。孩子一出生，種種能幫我分擔的差事，讓我減少勞務的點子，總是在我腦子裡轉來轉去。

于珺三個月大的時候，雖然她還沒有力氣扶奶瓶，餵奶時，我都把她的小手靠在奶瓶上，感覺就像讓她自己拿著奶瓶一樣。講起來似乎有點可笑……但她好像真的很快就可以自己抱著奶瓶喝奶了！

女兒三歲多時，我第一次帶她出國，我們全家到澳洲陽光海岸參加大型的國際活動一週。白天我送她去旅館內的托兒所，傍晚再接她一起參與晚上的活動。于珺從兩歲起同時接觸中英雙語，所以語言溝通上沒有障礙；她在台灣也已去過幼兒園，因此團體生活的適應和簡單的生活自理也沒問題。

三歲的于珺和同在旅館托兒所內的澳洲小女孩成了好朋友。

由於我知道孩子從小就有機會參與國際活動，這些出門前就已進行一年的語言和生活訓練，都是我刻意安排的。

但或許因為很少整天被金髮碧眼的外國人圍繞，頭兩天早上帶她去和下午接她時，她看起來都是一副快要哭出來的可憐模樣。不過孩子的適應力實在很強，第三天起她就和一位同齡的澳洲小女生成了好朋友。

危險，其實可以預防

參加各類活動時間緊湊，我常得在很短的時間內打點好兩人，所以在那一趟的行程中，我開始訓練她自己洗澡、換衣服和處理小雜務。

話雖如此，我還是非常小心，絕不會讓她自己單獨在浴室，而是在確認過浴缸不會滑、水溫沒問題之後，自己手上做其他的事（例如洗衣），同時在一旁看著她。**浴室和廚房一樣，是充滿危險的環境**，絕對不能為訓練孩子獨立而忽略了安全性。

我記得我小學高年級的時候，有一位很要好的同學腿部燙傷相當嚴重，在家休養了好一陣子，上課時間，老師還特別安排幾位同學去她家裡探望她。

我這位同學排行老大，有一個弟弟和一個妹妹，非常乖巧能幹，媽媽把她訓練得很會幫忙做家事。當時好像是她家裡的熱水器壞了，必須從廚房燒水提到浴室去洗澡，她幫忙提開水去浴室，結果滑倒了，因而腿部燙傷，大腿以下整片皮膚慘不忍睹，讓我印象深刻。

燒燙傷非常危險，傷處痛楚，疤痕又難復原，做父母的一定要盡全力預先設想，做最完善的防範。危險確實無所不在，有時發生問題真的是因為運氣不好，而不是大人的疏忽，但為人父母在生活上有用心的話，還是可以避免掉很多的遺憾。

不久前，在新聞上看到有幼兒玩耍開窗從高樓摔下，或在小吃店被熱湯燙傷，內心總是十分難過不捨。

一位義工朋友曾經描述她碰到的一個案例：一位由奶奶照顧的小男孩，因為好奇攀視廚房的燜燒鍋，結果整鍋滾燙的湯汁倒出，小孩從頸部以下嚴重燙傷。雖然沒有生命危險、臉部無礙，但不難想像小小身體和心靈所承受的傷痛，以及長輩永久的愧疚自責。

家有幼兒，直接開向外的窗戶一定要加裝安全鎖鈕，或是不讓孩子有機會在有燒燙物品的場所玩耍走動等，這些應該都是扶養者在生活上必須有的先見與考量。

曾有親戚的孩子佩戴十字架項鍊，跌到時墜子刺傷了胸部，因而孩子小的時候，我從不讓他們戴項鍊。

我常在公共場所看到小孩子拿著免洗筷跑來跑去，或拿插著食物的竹籤邊走邊吃甚至把玩，這些危險舉動，也都屬於大人應該教導孩子避免的。

女兒四歲，幫兒子洗澡

自己生了女兒，再生兒子，總算體會為什麼大家常說先女再子是個「好」字，一百分。同齡相比，女孩子比男孩子成熟懂事，通常也比較乖巧易教，的確在生活自理和照顧弟妹上幫媽媽分勞不少。一般小小孩都是看著大小孩有樣學樣，有個訓練有素的姊姊帶頭真的很不錯。

那一次澳洲行以後，于珺在家已經可以幫忙一點簡單的雜事，比方她洗完頭可以自己吹乾頭髮，也會幫弟弟吹，我們還曾拍下她幫弟弟吹頭髮的可愛畫面。當然，這些電器在我的監督下使用過後，我都會立即收起來。

于珺四歲以後，當我帶兩個孩子一起出國的時候，除了陪兩歲多的弟弟玩，她還可以幫弟弟洗澡。兩人都上幼稚園之後，大致上在行程中或旅館裡，我都不用太操心他們，只要用眼睛餘光盯著即可。

小學三年級起，出國時在旅館裡，我每晚都要求他們自己洗內衣褲和襪子。我示範他們洗和晾的方法，然後監督他們做幾次，也教他們怎樣處理衣服可以比較快乾，像是分段由上到下擰乾，並利用洗澡擦身體用過的大毛巾再擰一次濕衣服，吸掉水分，還有掛在房內通風比較好的角落，早上離開前一定要把衣服收好等等。因為有姊姊帶頭做幫忙監督，這些都是教過一次以後，我就不用再掛心的事。

不必事事搶在起跑點

訓練孩子成為稱職的小幫手是目標，但不表示能事事如願，時時處在理想狀態下。姊弟倆天天玩在一起，感情雖然很好，但也常鬧成一團。弟弟臉上有兩個永久性的疤痕，都是姊姊的傑作。

其中一個眼角的傷是姊弟推拉之間，弟弟跌倒撞到床緣，形成了一個開放式的小裂傷。當時孩子的房間都鋪滿塑膠地磚，各角落也盡量包起來，實在想像不到小孩跌倒輕碰到木質床緣就有了裂傷。

緊急送去整形美容科，結果因為弟弟太小才一歲多，傷口連縫都沒辦法縫，只能用美容膠帶貼住。所幸這個長條形的傷口緊接著雙眼皮末端，復原後傷痕雖在，但看不大出來。

「能把孩子平平安安的拉拔長大，真是老天保佑！」這大概是孩子成年後，做父母的一路走來一定會有的感慨。

有些技術性的活動或學習沒有急迫性，不必搶在起跑點，我的看法是**不用急於一時，從小培養學習熱忱與正確的價值觀反而比較重要**。

像現在很流行讓孩子當小廚師切切煮煮，我想所有的訓練學習都是立意良善，但一定要仔細參考專家的做法小心執行，不要一心想及早培養孩子的能力或獨立性，而忘了成長中的孩子在肌肉發展、生活常識和應變能力上都不夠成熟，反而讓孩子處於時時可能接觸到危險狀況的環境中。

培養孩子獨立（二）

有很多東西年紀小的孩子無法了解，不過隨著孩子成長，我會藉由口頭說明或書籍或媒體，來教導他們面對危險時的處理方式。

孩子上國中以前，我不讓他們看電視新聞，不過如果有跟孩子的安全相關的事件，我還是會拿來當例子向他們說明，也趁機再次提醒他們自身安全的重要性。

兒女小學時，兩個孩子年齡雖近但不同年級，很多才藝課或活動無法同步。我每天忙於接送孩子，時間被切得零零碎碎。

有一天我母親在聊天中提起，一位夫妻都上班的親戚，有好幾個小孩，又特地把孩子寄籍在心目中理想的學區，所以大女兒從小學一年級開始，就每天自己搭公車上下學，獨立又能幹。

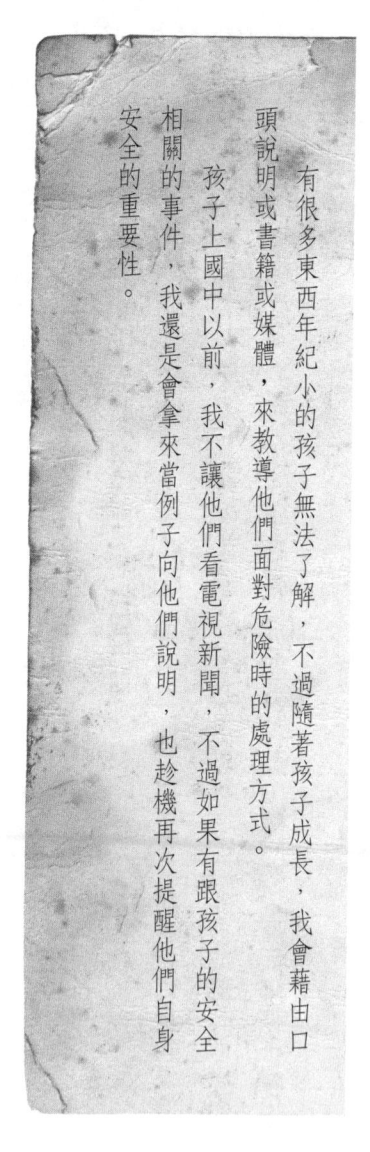

我母親問我，你這樣天天接送，會不會照顧得太周到了？女兒的同班同學也有一位家長雖然是家庭主婦，卻為了訓練孩子，而刻意讓獨生女從小二起自己搭公車上下學。

我跟我母親說，除非不得已，我並不贊成為了訓練，而讓小孩暴露於未知的危險狀況中。

我當然希望自己的孩子有機會早早學習獨立，但是現在的社會環境太險惡，我問自己，如果孩子遇到了壞人，我有把握我的孩子有能力應對嗎？萬一出了差錯，我能承擔那樣的後果嗎？我很仔細的考量過得失，我相信這一類型的能力，晚個幾年再學會，對孩子的整體表現和獨立性不會有什麼減損，風險卻可以降低很多。

影響我教養的童年經驗

不久前，女兒為了一項關於家長的活動作業回來問我，小時候有什麼經驗，影響了我一輩子，也影響了我對孩子的態度與養育方式。我說，因為小時候有好幾次被騷擾的不愉快經驗，所以我很注意小孩的安全。

或許我小時候樣子滿可愛，上學、上才藝課和去同學家途中，都曾發生過被騷擾或跟蹤的驚險狀況。我到很大了才知道，我碰到的那些人包括暴露狂、日本所謂的「癡漢」，和更嚴重的、極有可能犯下傷害罪的人，但事發當時因為年紀小，除了害怕，完全不懂可能會發生什麼事。

事後有驚無險，只能說運氣實在太好，平安度過，還長了點經驗常識；問題是許多危險狀況，連大人碰到了都無法處理，對懵懂無知、體力和判斷力又處於絕對弱勢的小孩來說，怎能期待他們有能力面對呢？

年紀稍長才有辦法理解和想像，那種突發狀況下不同發展的差別：一旦被傷害，即使沒送掉性命，也會是一輩子無法復原的創傷與痛苦。

我娘家在巷子裡，雖然是巷口數來第一棟，離巷口頗熱鬧的商店區很近，只有二十步左右的距離，晚上卻有點暗。

舊社區沒有管理員的公寓樓梯間其實是個暗藏危機的死角，別說色狼，偷竊搶劫也偶有所聞，因此直到我大學畢業離家留學前，我身上一定帶著幾個一元銅板，若晚上回家，就用大馬路商店前的公用電話打電話給家人（那是沒有手機的時代），我父母或哥哥會出來巷口接我。回想起來真的很感謝他們，讓我每晚的回家之路安全又安心。

我大學時，有一天發現家裡燈泡壞了，也沒多想，晚上八點多穿著短褲和拖鞋，就自己一個人出去附近買燈泡。

走在騎樓下快到燈具店時，我發現好像有人在跟蹤我。進入店內後，我請店老闆幫忙確認，發現真的有個人躲在店外柱子後面，於是我向店家借了電話打回家，我父親立刻到店裡來接我，最後老闆讓我們從後門離開。

大約一年後，我認識一位想追求我的同校男生，閒談中，他忽然問我：「很久以前有一天晚上，你好像去燈店買東西，我一直覺得很奇怪，為什麼那天你進去後就沒有再出來？」

他這一問，讓那一晚的跟蹤事件真相大白，證明只是仰慕者的不成熟舉動，並非什麼危險人物。不過我還是慶幸自己一直以來警覺性很高，應該避免了不少麻煩。

拿自身經驗，教導孩子

我幼稚園時，曾和家人親戚一起到兒童樂園玩，結果走散了。我發現找不到家人時，非常緊張，也不敢哭，怕被壞人發現我獨自一人，當下決定找個看起來比較可靠的大人求助。

我左看右看，相中一位肚子已經滿大的孕婦，走上前拉住她的裙襬，才一開口說：「我找不到媽媽……」就忍不住放聲大哭。

她立刻帶我去服務台，所幸還沒走到服務台，就碰到了正想去廣播尋人的媽媽。

六歲的年紀，我也不知道哪來的邏輯，認定孕婦是壞人的機率比較低。

這個經驗我曾拿來跟孩子分享，因為生活上「識人」的能力其實很重要。**發現問題時，若能主動出擊，找到對的人求援，往往可以很快的解決。**

有些事情，我們可以放手讓孩子從經驗中記取教訓，比方金錢財物的損失，或是比賽考試的失敗，但是有些傷害卻絕對不能從教訓中學習經驗。

我常常出國，每回出國都要去藥房替換一些過期的旅行常備藥品。有一次跟藥房老闆娘聊起來，我說：「每次出國都要買藥好煩喔！藥都沒吃又放過期了，真浪費。」

老闆娘笑盈盈的回我：「旅途中萬一生病多麻煩！放著保心安，但你應該很高興放過期了，也不需要吃到這些藥！」

的確，常常為了預防萬一，我們得不怕麻煩的去做萬分的準備。她這個觀念說得很好，讓我牢記至今。

有一位也有兒女的朋友曾說，我們不可能事事防範到滴水不漏，要是她就乾脆不要操這個心。或許她很幸運，從小到大沒有碰到我經歷過的狀況，當然不必杞人憂天，每天過得緊張兮兮，事事大驚小怪，讓生活中充滿了焦慮而失去了樂趣。但我覺得，身為父母，還是必須把一些可能的危險狀況想在前面。

我的原則是，天災厄運無法預知避免，但生活上的審慎態度，可以幫忙規避一些不好的情況發生。我所做的一切，只是希望先「盡人事」再來「聽天命」，而不是出了事情，才懊悔自己哪些地方沒做好。

有很多東西年紀小的孩子無法了解，所以在孩子還小的時候能保護就保護，並隨著孩子成長，藉由口頭說明或書籍或媒體，來教導他們面對危險時的處理方式。

孩子上國中以前，我不讓他們看電視新聞，不過如果有跟孩子的安全相關的事

件，我還是會拿來當例子向他們說明，也趁機再次提醒他們自身安全的重要性。

多數家長都十分小心，不過從我觀察身邊朋友的經驗，還是有幾點想提醒讀者。第一，不是只有女生才需要注意安全與保護，也不是只有富貴人家的孩子才會成為歹徒的目標。此外，就算是人來人往的公共場所廁所，也盡量不要讓小孩獨自前往，不論男生、女生都一樣。

還有，慎選幼稚園和保母，對鄰居、老師、家教和教練不要太過信任，絕不要圖方便，讓孩子長時間與可靠照顧者之外的人單獨相處。

當然不該亂懷疑別人，不過「熟人才倒得了會錢」，為了孩子的安全，適度的防人之心還是該有的。

KULI的教養啟發（一）

KULI從狗學校學成以後，讓我們很意外的是，牠在家照樣搞破壞，依舊到處尿尿，怎麼講牠、罵牠都沒用，我們這才驚覺，原來在學校經「獎勵方式」訓練之後，我們KULI成功變身為「有才藝而且很現實的狗」，卻仍然是一隻「沒家教的狗」。

看到KULI的狀況，大家不知道會不會有「似曾相識」的感覺？

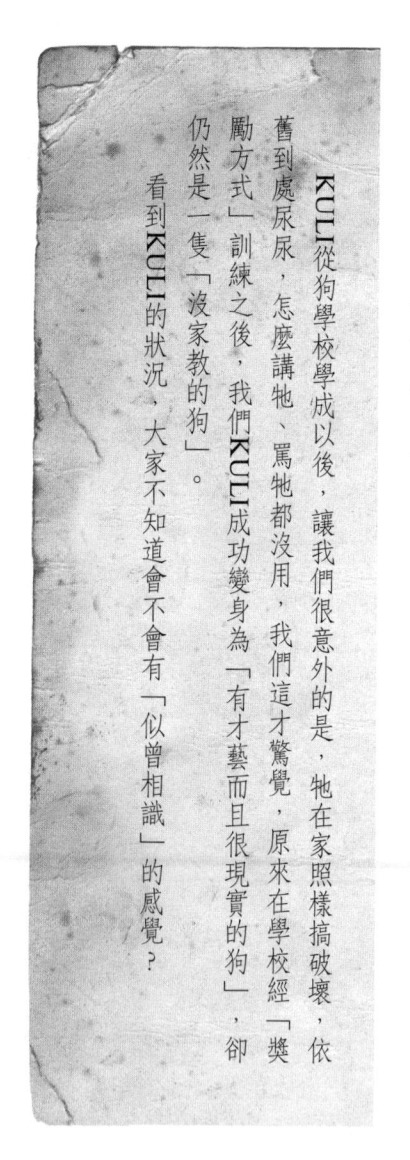

女兒小學以算是全校第一名的成績畢業，雖然學校並沒有正式排名，但因為她整體表現優異，我們是唯一被請上台的畢業生家長。爸爸決定答應女兒好幾年來的請求，買一隻狗給她當寵物。

我們家一向不以金錢、物質或任何條件交換當作好成績好表現的獎勵，會考慮買給她，主要是想表達我們心中的欣慰與驕傲。更重要的是，我們相信她真的具有獨立

照顧寵物的能力了。

我自己非常喜歡小動物，但對養寵物這件事還是力拒多年，因為我知道在孩子年紀不夠大的時候養，最後所有責任和雜務一定都掉到我頭上來。

一家人開了好幾次家庭會議，責任者排序敲定為姊姊、爸爸、弟弟，上班上課時段才是媽媽，約法三章之後（只差沒叫他們斬雞頭發毒誓），我終於點頭同意，父子三人於是高高興興的開始去找他們心目中最理想的「dream dog」。

同年十一月，我們家庭成員正式多了一口，一隻我們取名為KULI（日語音似「栗子」）的威爾斯科基犬。

KULI是一隻漂亮的小公狗，活潑調皮，惹人疼愛。牠的出現，徹底改變了我的生命軌跡。因為KULI，我們的生活再次有了迎接新生命到來的變化與忙亂；因為KULI，我出了我的第一本書《KULI好狗命》，點點滴滴記錄下牠出生第一年的大小事。

牠雖然可愛，但不聽指令，天天搞破壞，還到處亂尿尿，打牠、罵牠都沒用，弄得我頭痛極了。

其實從接觸「養狗」這件事開始，我們就聽說狗跟小孩一樣，一定要趁小時候好好管教，於是我們決定利用暑假出國，也就是在KULI大約六、七個月大的時候，趕緊送牠去住校兩個月，好好學習。

爸爸和我在找狗學校這件事下了很大的功夫。

微笑握手的KULI。

由於狗無法表達轉述學校生活的狀況，我們擔心學校在訓練過程中會虐待狗，所以跑了好幾家訓練場，實地訪談觀察上課狀況。最後我們終於選定其中一家，因為這個訓練場老闆拍胸脯保證，他們採用獎勵式的訓練，也就是用食物鼓勵誘導，絕對不會亂修理狗學生。

繳了學費，我們跟教練溝通了近十項我們期待牠學會的才藝，一家子就開開心心的度假去了。

兩個月後KULI學成返家，還帶回來一張漂漂亮亮的畢業證書，上頭有牠戴學士黑方帽的帥氣畢業照。不過學校遺憾地表示，雖然KULI行為表現良好，但家長當初期望過高（意指牠資質普普），最後牠總共只學會了六項才藝，包括「坐

下」、「趴下」、「立正」、「握手」、「罰站」和「裝死」，其中「握手」還是原本牠在家就已經會的。

回家實際驗收後發現，牠的確每一項都做得很好……只要我們手上有食物。一旦沒有食物獎勵，牠立刻翻臉，把我們的指令當耳邊風。

更教我們意外的是，牠在家照樣搞破壞，依舊到處尿尿，怎麼講牠、罵牠都沒用，我們這才驚覺，原來在學校經「獎勵方式」訓練之後，我們KULI成功變身為「有才藝而且很現實的狗」，卻仍然是一隻「沒家教的狗」。

家庭教育是教養的核心

看到KULI的狀況，大家不知道會不會有「似曾相識」的感覺？

少子化讓現在的父母個個望子成龍望女成鳳，無不集中資源全力栽培小孩。有些家長非常捨得花大把鈔票讓孩子補習或學習各種才藝，卻在觀念行為上過度寵愛，不認為應該花時間精神，幫助孩子建立自我約束的能力，養成有紀律的生活習慣和學習正確的價值觀，結果養出了在生活和心理方面都不及格的資優生或績優生。

一個朋友的獨生女從小音樂資優，父母把她捧在手掌心，崇拜自己的孩子天天好言讚美，一切以練琴學藝優先，其他的什麼都不用管，都可以由父母代勞。結果這個孩子長大後，不但成為生活白痴，也變得非常驕縱，無法面對失敗挫折，稍不順心就憂鬱失控。

周圍的親友看了都很擔心，朋友雖覺後悔，但女兒個性習慣已經成形，想改變也已經來不及了。

原來教小孩跟訓練狗狗真的很像。學校教育本來就是針對才藝技能或知識的學習、提供團體生活的環境與訓練，**個人生活習慣和觀念行為的養成，終究必須靠家庭教育**。

不久前一個博士生阻擋救護車的新聞，以及近幾年頻傳的「高學歷低品德」事件，總算讓社會大眾漸漸注意到所謂的「被溺愛兒童症候群」，開始檢討品格教育的重要。其實那樣的行為表現，**養育者應該要負最大的責任**。

家庭教育應著重於防患未然，從孩子很小的時候，就要開始盡力教導孩子行為處事的正確觀念，引導孩子表現合宜的舉止態度。

可是孩子一旦犯錯，絕不該幫忙找藉口掩蓋逃避，應該讓孩子學習面對問題，並以最誠懇的態度解決問題，否則愛之卻足以害之，一、兩個小小的掩護脫罪動作，將可能演變成日後更大的錯誤與痛苦。

至於家狗KULI，讓我百思不得其解的是，為什麼我帶小孩還算順手，卻拿一隻狗一點辦法也沒有？

「有才有藝」的KULI回家以後匪類依舊，造成我生活上很大的困擾，我只好四處向狗友前輩們請教，於是有朋友推薦我去找一位馴狗界的名師胡教練，來家裡上一對一的家教課。

這位胡教練似乎很神，據說他調教出來的狗聽指令像軍隊訓練出來的一樣，一個指令一個動作毫不馬虎。

這種消息對一個束手無策的絕望母親來說，真的就像黑暗中的一盞明燈，頓時KULI的狗生前途似乎又充滿了希望。於是我二話不說，立刻打電話約了胡教練來家裡，選日不如撞日，馬上開課！

KULI的教養啟發（二）

養出一隻痞子狗，我只需要關起門來自食小惡果，沒有什麼社會責任。

但是一個沒教好、被寵壞的孩子，長大成人後會造成什麼樣的家庭問題，對社會產生什麼樣的不良影響呢？

這一點，倒是值得新手父母深思。

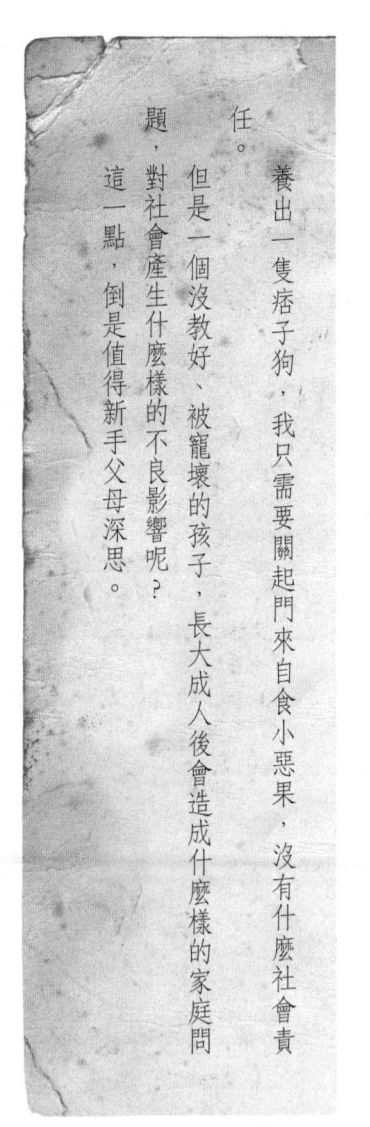

跟胡教練約好要開始讓KULI上課的當天早上，我的心情愉快極了！電話中教練告訴我，課程總時數必須滿四十八小時（每次上兩小時，也就是二十四堂課），如果一週兩次，得上三個月！

雖然無法理解為什麼需要上這麼多時數才能「學成」結業，但我想像著類似於英文或鋼琴家教老師來到家裡教小孩的情形：上課時，我可以偷空去洗個頭或買買菜，我們KULI也同時在專家的指導下往「品學兼優」之路邁進……無論如何，咬著牙，心一橫，這個錢是該花的！

震撼教育

沒想到教練一來，不但沒准許我離開，還給了我一堂震撼教育：我除了必須全程陪KULI上課（一分鐘也不能少），還得詳抄筆記，結業時要交兩頁以上打字的心得報告！

我當場傻眼……繳這麼多學費，就是想請老師來幫忙解決問題，我不但得陪上課，還要交報告，到底是馴狗，還是馴人？

教練當然了解飼主對他的能耐和要求會有疑慮，因此帶了一隻「模範狗生」來做示範教學。

才三個月大的模範狗MAX是一隻拉不拉多，真的是一個指令，一個動作，跟我家這隻叫牠半天也懶得回應的流氓狗，形成了極度強烈的對照組。

在教練的指揮下，MAX可以待在同一個地點紋風不動數小時、可以看守財物保護主人、散步時的左側伴行能一直維持固定的速度與距離、隨時仰頭察看主人的表情指令，表現出驚人的服從性與專注力，讓人讚嘆不已。

「平平」都是狗，怎麼差這麼多？看著教練和MAX，我佩服又心動，那感覺就好像參加補習班的說明會，班主任當場介紹給大家由該補習班培訓結業的奧林匹亞競賽得獎學生，然後做家長的想像著，只要繳費上課全勤，下回站在台上掛著獎牌的，就是我們的孩子。

KULI的媽當然就這樣熱淚盈眶、滿懷希望的「撩落去」了。

整期課程上下來非常辛苦漫長，但講穿了，教狗的中心概念其實很簡單，如果化為大綱提要，可能二十分鐘就講完了。執行細節以外，觀念上歸納下來有幾個重點：

一、有規律作息和規矩的狗情緒穩定，行為有依據，生活有寄託，不會無聊搞破壞。不聽話的麻煩狗通常是主人混亂、沒原則的教養方式造成的。

二、養寵物是為了讓生活更充實愉快，如果造成嚴重困擾負擔，對雙方都不好。小狗是打亂我們生活秩序的介入者，若希望狗狗配合我們的生活習慣，就必須把主人的規範和要求精確的傳達給狗。馴狗是主人的問題，不是狗的問題。

三、比較理想的受訓年紀應該是兩、三個月大就開始，越早越好。當時像KULI這樣超過一歲算是成年狗了，積習難改，所以困難度會高很多。

四、跟狗溝通不能用人的語言，講道理和訓話是沒有用的，必須用狗懂的方式。這些溝通方法應該以狗的感覺，也就是狗能接受到的訊息為標準，而非以人為本的感受與想像，所以飼主必須先了解狗的生理成長、心理和情緒，學習跟狗溝通的方式，進一步精確掌握安撫、處罰和獎勵的方法。這就是大部分上課時間飼主要學習和練習的事情。

五、不當的愛心和過度的耐心造成的標準反覆與指令不清，是害狗狗學不好的重要因素。賞罰不但要分明，而且效果要做足。口重手輕（意即光用嘴罵卻沒有任何實質制裁效果）會被寵物「看扁」，知道飼主拿牠沒轍，不用多久牠就會變成發號施令的老大。

六、沒有笨狗或壞狗，只有不稱職的主人。

講起來似乎都是滿容易了解的道理，為什麼需要上這麼久的課？其實整個過程真正的重點在於，觀念與方法的理解是一回事，執行卻完全是另外一回事。要讓飼主聽懂這些觀念並不難，真正的困難是有沒有辦法「確切並堅持」的去做，這才是成功的必要條件。

不到位的處罰和混亂的執行標準對訓練狗一點用也沒有，反而做越多越糟糕，所以大部分的時間，教練是藉由不斷強化基本原則讓飼主牢記內化，並在教練的監督下一再演練，協助飼主熟練掌握真正有效的馴狗技巧。我的「馴狗記」最大心得，正如同易卜生《玩偶之家》一書中，女主角娜拉的一句話：

要想教育孩子，先得教育我自己。

聽教練解說的過程中，我常常點頭如搗蒜，心有戚戚焉。

狗很聰明，我們常常以為牠懂得我們說的話，其實不然。狗狗完全聽不懂人說話的內容，但牠們能夠觀察並理解我們的情緒，學會遵從固定的聲音指令。

每當狗狗調皮搗蛋我們斥責牠時，牠會表現出害怕沮喪的樣子，並不是因為牠聽懂了我們說：「你怎麼這麼不乖，說過幾百次不可以咬家具……」因而感到羞恥反悔，而是牠從我們的表情和聲音察覺出憤怒不悅。

牠只知道我們很生氣，卻完全不懂牠做錯了什麼，因為磨牙是牠成長過程必有的行為，牠並不知道為什麼家具不可以啃。

教狗與教養孩子的異同

我忍不住回想帶孩子的過程，發覺教養幼齡孩子的經驗心得，跟教狗的重點還真契合。很多狗都有六、七歲孩子的智能，最大的差別在於：狗沒有隨著年齡逐漸成熟的語言溝通能力。

我記得剛結婚時，我和先生到美西宴請親友，在場一位親戚遵從美式「不能體罰小孩」的原則，對著做出危險行為的一歲娃娃耐著性子細聲細氣講道理的情景，讓我大開眼界。

當時我只有一個感想：一歲的小貝比怎麼可能聽懂她那一大串的道理？看似認真聆訓的表情下，小腦袋瓜哪裡懂得究竟是什麼事惹得媽咪不開心？

我認為對於無法理解複雜語言內容，也尚未建立是非道德觀念的小小孩，適度的痛感處罰有助於讓他們了解父母想要傳達的訊息。

就像燒熱的鍋不能碰、手持尖竹籤跑來跑去很危險等等，**這一類的事，我們不能讓小孩子從錯誤經驗中學習，也無法經由解說讓他們了解其危險性**，但我們可以讓他們先從害怕痛感學會避免危險的舉動，等他們大一點，自然可以明白其中的道理。

經由有效的體罰和獎勵，小小孩就像狗狗一樣，可以很快學會哪些是「該做」或「不該做」的事。

孩子爸爸的護狗宣言

我對教練非常服氣，上課很認真，教練教的我也有全盤吸收，但是KULI終究沒有成為一隻「行為檢點」的好狗，為什麼呢？的確如教練所言，因為KULI年紀太大，一些習慣已經養成，改變牠的過程常常必須要狠得下心堅持。

問題是沒上課的爸爸因為看牠可憐而心軟，發表了護狗宣言：「本來就是隻狗嘛，何必這麼嚴格要求牠！」

所有上課學會的規矩，課程結束後全部歸零，因為爸爸決定，不需要讓KULI違背本性（獸性），只好由我們來包容牠的行為。

我並沒有反對，因為反正KULI只是一隻在家活動的寵物，就是想養來寵的，再怎

麼搞破壞，也只有在我家裡，並不會危害影響到他人。不過我想，如果我還有機會養下一隻狗，我一定要在兩、三個月大時，就開始採用胡教練的方式嚴格管教，畢竟只要用對方法，從小做起容易多了。

養出一隻痞子狗，我只需要關起門來自食小惡果，沒有什麼社會責任。但是一個沒教好、被寵壞的孩子，長大成人後會造成什麼樣的家庭問題，對社會產生什麼樣的不良影響呢？這一點，倒是值得新手父母深思。

我與KULI。

卷四／

學習是一輩子的事，提早讓孩子學會別人永遠拿不走的能力

鼓勵孩子走一條最辛苦的路

十幾歲的年紀，正是人生態度成形的黃金期，大約到高中畢業才會穩定下來，而在這一段時間裡，不論是父親、母親，每一個家庭角色的影響都很重要。

如果在這個階段把子女推離自己，對於金錢、價值、愛情、婚姻、事業與生活的觀念，就無法藉由每日生活的互動傳達給孩子，無疑是把形塑孩子的重責大任，交到了住宿學校的老師和同學手中。

我和先生都不想要做這樣的選擇。

二〇〇四年七月，于珺小學剛畢業，弟弟即將上六年級，先生和我利用暑假送姊弟倆去波士頓的一家私立中學上暑期學校。

當時，因為對教改沒信心，我們還在考慮小孩國二以後要不要送到美國念住宿學校，尤其是針對頭腦靈活但不愛制式化學習環境的弟弟，幾乎所有教過他的老師，都鼓勵我早點把他轉到發展空間比較大的美式環境。

為了中文能力和國籍認同，我從來沒有讓他們小學在台灣就讀美國學校的想法；基於夫妻情感的維繫和家庭圓滿的考量，我也不打算自己帶著孩子遠赴他鄉當空中飛人內在美。於是，若計畫接受美式教育，等孩子大一點再一起送到住宿學校，是我們唯一的選擇。

朋友提醒我們，因為語言能力的關係，如果希望孩子順利適應美國的學習環境，並有機會申請上好大學，勢必要在國二開始前送出去，因此我們希望孩子們，尤其是于珺，利用這最後一個暑假，好好體驗一下美國的學校環境究竟適不適合自己。

震撼的「同意書」

八月六日孩子結束六週的住校生活，下午我們開車去學校接他們，準備返台。還很孩子氣的偉庭看起來滿高興要回家，對美國的學習生活沒有表示特別的喜愛或討厭。

想不到的是，平常看起來沒什麼意見的乖乖牌于珺，竟然拿著一張「同意書」來堅持要我們當場簽名畫押……因為她已經跟學校說好，她下學期要留下來念了！

爸爸對于珺說：「我們都還沒有做好準備，不能這麼草率，必須回台灣好好商量後再做決定。」

看她哭著衝去和同學、老師擁別，爸爸和我還真的有點嚇到。以往我們只是很含混的想著幾種可能性，當下卻被逼得必須嚴肅面對了。

我們問她為什麼這麼想到美國念書。

她說，雖然小四時參加過美國夏令營，不過那次都在玩，年紀比較小，也沒有感覺。這回是她第一次認真比較兩邊的教學方式，立刻愛上了那裡活潑、自由、啟發式的教法和上課時的師生互動。

有一天晚上，她和老師同學們一起躺在校園的草地上看星星，讓她深深感受到前所未有的學習樂趣。

我們提醒她，不要忘了**暑期學校是包了糖衣的輕鬆版體驗**。

暑期課程比較簡單，課堂數也沒這麼多，下午安排的幾乎都是運動或休閒活動。此外，暑期班的同學多是外國學生，像韓國、香港、新加坡、台灣和巴西學生很多，亞洲學生佔了很大比例，美式青少年的同儕問題和種族認同的壓力，她還沒真正見識到。

她更無法想像的還有，年紀這麼小就長期沒有父母在身邊的獨立生活。**自由的另一面，其實很辛苦**。

不過，孩子心意已決，考量的責任又丟回我們做父母的身上。

那一段時間，幾乎每個晚上，先生和我都在檢討把十三歲孩子送去住宿學校的得失。我們找出身邊一些朋友孩子的例子作為參考，希望把各種可能的長遠影響和利弊都想清楚。

我們所最在乎的……

多數人都同意，美式教育尊重孩子的個人特質，學習歷程比較輕鬆愉快，讀書、運動和活動之間容易得到均衡的安排，自我肯定的價值標準多元，孩子長大後自我感覺良好，也顯得較有自信。

不過這樣的教育環境下長大的孩子，通常個人意識強，事事比較會以自我為中心。我們發現最嚴重的親子衝突，多半發生在大學畢業以後——因為與父母的價值觀念不同，許多年輕人不願意回國生活或繼承家業；還有，嫁娶對象的國籍人種和年齡職業問題，常是爭執引爆點。

爸爸認為，基本上這些衝突不該怪孩子不聽話或不尊重父母。

無論是從小在台灣讀美國學校或是送往美國就學，做父母的，既然「選擇」讓孩子接受美式文化的陶養，唱美國國歌，每天被灌輸自己是美國人（通常這些初期的決定都是父母，不是孩子做的），就不該期待孩子長大以後能有傳統的華人文化觀。

所以，假如我們終究做了那樣的決定，就應該要有心理準備。

越早進入美式教育系統的孩子，自然就越像美國人。

我們當年大學畢業後才出國留學，沒有種族國籍的認同問題，因為心裡清楚自己是「外國人」，只是去念書學習，華人的傳統觀念也早已在成長過程中生根。小學高年級到中學年紀出去的孩子，反而卡在中間，好像兩邊都沒有扎實的歸屬感。

如果不是全家移民，只有孩子在異鄉寄人籬下或住校，早早就失去安定完整的家庭生活，成長過程似乎就更可憐了。

我們這一代的父母，已經不會期待孩子長大以後要聽從父母的安排。不過無論如何，我們還是希望將來跟兒女之間的基本觀念不要落差太大，演變成溝通相處上的困難。

生孩子不奢望反哺，但卻**冀望能延續親情的享受。**

十幾歲的年紀，正是人生態度成形的黃金期，大約到高中畢業才會穩定下來，而在這段時間裡，不論是父親、母親，每一個家庭角色的影響都很重要。

如果在這個階段把子女推離自己，對於金錢、價值、愛情、婚姻、事業與生活的觀念，就無法藉由每日生活的互動傳達給孩子，無疑是把形塑孩子的重責大任，交到了住宿學校的老師和同學手中。

我們當然也看到一些家庭在美式環境中，很成功的教養出兼具兩方優點的孩子，不過相對難度是很高的。

人生的路只能走這麼一次，很多事情做過以後是無法重來了。老實說，我們不知道到底哪一條路對孩子的前途才是最好的，不過眼前盤算起來，選擇出國，家庭生活

勢必要被犧牲掉，這一點是可以確定的。

國內的學習環境或許不盡理想，但小孩子將來的發展未必不好。既然我們對孩子最大的期待，從來就不是一定要念國際頂尖大學或出人頭地；既然我們真的能和孩子朝夕相處，也只剩下幾年的時間；既然我們有選項，並沒有不得不把孩子送出去的理由……再怎麼想，無論如何，都應該以完整的家庭生活為第一優先吧！

另一條行得通的路

我們向于珺說明了我們的想法。她向來成熟穩重，雖然能夠了解，卻還是對美國的學習環境十分嚮往，念念不忘。

我們運氣很好，恰巧在那個時間點，有一位朋友的女兒北一女高三畢業，直接申請上了史丹佛大學。那是我們第一次聽到，除了因資優或音樂專才，不用降級或混一年美國社區大學，就直接從中式學習軌道銜接美國名校成功的例子。

于珺或許沒有這麼優秀，但至少我們知道這條路是行得通的，於是我們就帶著于珺去向這位Karen姊姊請教。

之後，根據Karen的經驗與建議，我們和于珺共同規劃出往後的目標：考上好高中，在台灣念完，再直接到美國去念大學。

不過，國內的學校不會提供我們申請美國大學需要的教育與協助，語言能力也必須要靠我們自己雙軌進行。

在台灣念中學壓力比在美國大，美國的好大學又比台灣的大學難念，但為了家庭生活的完整，我們似乎是鼓勵孩子走一條最辛苦的路。

但她如果熬得過來，我們可以在整體損失最小的狀況下，得到兩邊學習環境的最大好處，豐富的收穫是可期的。

我們讓于珺自己選擇：「想接受這樣的挑戰嗎？」

為了一圓美國求學夢，她點頭，下定了決心。

傑出的Karen姊姊，從此成了她的偶像；史丹佛大學，自然也成了她心目中的Dream School。

至於那個沒意見的傻小弟，往後的學習之路，也就這樣被我們三個人決定了！

※波士頓暑期學校關於于珺的報告

英文能用來描述「優異」，像excellent和fabulous這樣的字彙並不多。窮盡所有這類的形容詞，也不足以說盡于珺的表現。從所有老師給的評語看起來，簡直像破了紀錄；她的三位老師都說她：「很棒、優異、傑出」(great, excellent and outstanding)，對她功課與作品的評語則是「有深度、優異、完

美」。

Nguyen老師指出，于珺的聽說能力不僅極佳，文法與字彙方面，她還努力鞭策自己更上一層樓。

Lorch老師描述于珺在地理課的表現時，特別喜歡用excellent這個字。他認為這個字適用於于珺功課和考試各方面的表現以及她對細節的重視。他堅持于珺的表現只能用這個字來形容。他更讚譽她是班上最優秀的學生。

Harper老師也持相同看法，認為于珺是閱讀寫作班上最頂尖的學生，而且她在這門課的表現「精采、傑出」。Harper老師也觀察到于珺如何自我挑戰。她功課好，卻不孤立或人緣差。在課堂內，她與同學合作愉快，也善於支援大家。Harper老師的最佳結論是：于珺一定要來Fay，她是本校學術理想與學生人格的最佳代表。

教室外的于珺也令人喜愛。她總是沉穩有禮，也很愛笑，很容易被逗笑。我欣賞她在網球場上的表現，尤其我要求大家做辛苦的跑步練習時。我對她只有一個期待，就是她能夠更有自信。我希望她了解自己有多棒、多特別。一旦建立如此的信心，她將可以更勇敢的前進，可以在課堂內多主動表現及課堂外多口語表達。

總之，我愈了解于珺，愈明白她有多棒。我非常期待能有機會在Fay再見到她，也希望她與我們保持聯繫。

美國的夏令營收穫

眼前的景象讓我們大吃一驚：床上燙得挺挺的細棉床單被套都已經弄好了，大中小同花色的名牌皮箱靠牆邊一字排開，衣櫃裡兒子那件鹹菜乾旁邊掛了四、五件看起來應該是西裝的衣服，都整整齊齊包在garment bag裡。

書桌上，各式電器已經裝設完妥，包括當時最新款的MacBook、手機、遊戲機和音響。

弟弟一臉羨慕的轉述室友對他說的話：「Anytime, feel free to use my computer!」

兒子升高一、女兒升高二的暑假，我讓孩子們去一家全美數一數二的私立高中參加暑期學校。申請美國大學的路線既然已經確定，這一趟的經驗對他們來說，就有了非常明確的目標與意義。

行前先生和我都很緊張，因為不像以往中小學的夏令營，學校老師會代管孩子的零用金，高中的大孩子必須自己保管錢。

孩子們從來沒有自己管理存放這麼多現金的經驗，尤其是常常漫不經心的弟弟，更讓我們放心不下，所以先生和我千交代萬交代，錢該怎麼收都先幫他們想好了。

「弟弟，暫時用不到的錢要收在皮箱裡，皮箱的號碼鎖一定要上好，知道嗎？」

「嗯，知道了。」

「弟弟，小皮箱很容易被拿走。我說的皮箱是大皮箱，曉得吧？」

「曉得。」

「弟弟，你室友來自什麼樣的家庭我們不清楚，很多外國小孩家裡管得不夠嚴，有些人為了偷買酒或溜出去玩，難保不會偷錢。記得開號碼鎖一定要趁室友不在旁邊的時候，不要讓人家看到號碼喔。」

全家眼界大開

魔音傳腦至少一百遍以後，我想再糊塗的小孩也該記得了吧。不過我們還是擔心他丟東掉西，所以手機、筆電通通不敢讓他帶，反正學校說每個房間都會有電話可以打，圖書館和自習室也有電腦可以使用。連旅行箱，我們都選家裡最舊、最不起眼的給他。

在美國高中暑期學校的圖書館裡，于珺看到自己常看的英文《商業週刊》古早版，覺得有趣而拍照留念。

長途飛行、轉機、開車一路折騰到學校，全家都還在時差的頭昏腦脹中，我們先幫弟弟把行李搬進宿舍，陪他鋪好床，從箱子裡把唯一一件已經塞得皺皺的西裝上衣（結業典禮時要穿的）掛進衣櫃，就匆匆忙忙離開，送姊姊去女生宿舍。

再度回到弟弟房間確認他是否安頓完畢。弟弟說，他的室友是尼加拉瓜人，已經到了，才剛走出去。

眼前的景象讓我們大吃一驚：床上燙得挺挺的細棉床單被套都已經弄好了，大中小同花色的名牌皮箱靠牆邊一字排開，衣櫃裡兒子那件鹹菜乾旁邊掛了四、五件看起來應該是西裝的衣服，都整整齊齊包在garment bag裡。

書桌上，各式電器已經裝設完妥，包括當時最新款的MacBook、手機、遊戲機和音響。弟弟一臉羨慕的轉述室友對他說的話：「Anytime, feel free to use my computer!」

此時，一位嬌小美豔的黑髮熟女婀娜多姿的搖進來，同時飄進一陣香水味。她身旁跟著一個約二十歲的漂亮女生，我們客氣的互相打了招呼，原來是弟弟室友的媽媽

和姊姊。室友的媽媽身材凹凸有致，全身上下包括衣服鞋子都是香奈兒，美得像電影裡黑手黨老大的情婦。

跟兒子和大小美女說了再見，爸爸和我疲憊的走出宿舍，準備不調時差，馬上飛回台灣。剛剛一陣混亂中幫孩子搬完幾趟行李，上車前，我們站在路邊喘口氣放空一下，卻忍不住同時大笑。

爸爸搔搔頭：「弟弟那個室友的爸爸可能是中美洲最大的毒梟。」

我苦著臉說：「現在那個美豔媽媽可能正在交代她兒子：『小心你那個台灣室友，他爸媽看起來這麼寒酸，說不定會偷你東西！』」

直到現在，我們全家聊起這件事還是忍不住笑。異地經驗總能讓人眼界大開，看到自己以往絕對想像不到的事。雖然我們常常全家出國旅遊，但兒女印象深刻的，卻總是自己在暑期學校的經歷，而不是走馬看花的旅行。畢竟沒有父母在身邊的生活，事事得靠自己，就會變得比較「耳聰目明」，連短短的接送，做父母的也會有這樣顛覆成見的學習經驗。

兩個小黑人

于珺升小四的暑假，我第一次帶他們到美國參加夏令營。年輕時有個印象，親朋好友的孩子只要利用暑假送一趟美國，好像回來之後英文就會突飛猛進。

不過住宿學校小五以上才收，比較小的孩子通常需要託給住在美國的親友，或家長自己在學校附近租屋接送，所以那一次我自己帶著兩個孩子借住在舊金山的大哥家，大嫂幫我在附近找了一個有夏令營的私立學校。

美國中、低年級的夏令營，其實都在玩。上午學校會安排一些輕鬆的課程，但每天下午都是游泳和運動。幾週下來，兩個小孩都曬成了小黑人，意外的是英文沒進步多少，英文髒話反而聽了不少回來。

我的心得是，現在台灣的外語學習資源非常豐富，外師也很普遍，如果在台灣已經有了相當程度的英文訓練和英語學習環境，美國小學夏令營的輕鬆課程，或許可以讓口語更流暢，但對提升英文程度其實幫助有限。

那一趟真正的收穫，應該是孩子們比較深入的體驗到美國的生活與文化。還有，因為大哥大嫂畢業後就一直住在美國，那是我們長年來第一次一起生活較長的時間。

現在的孩子都生長在小家庭，不像我們以前堂表兄弟姊妹一大堆、親戚往來密切，有機會這樣和表哥表姊玩在一起，同輩親情互動的經驗，對他們來說很珍貴。

女兒很特別的收穫

孩子們第二次的暑期學校，就是讓女兒下定決心要到美國念書的波士頓之行。

那一次兩個孩子比較大了，尤其是姊姊，已經會觀察對照兩邊的學習環境和資

源。不過我覺得于珺受益最多的，是她從此重視，也愛上了運動。我自己並不怎麼喜歡運動，因此沒有帶著孩子從小養成固定的運動習慣，只有讓他們斷斷續續的游泳、溜冰、打高爾夫球、羽毛球、網球等等。

她在暑期學校中赫然發現，來自世界各地的孩子，包括韓國、新加坡等亞洲國家，都喜歡運動，也都有擅長的運動，相形之下，自己的體力體能都太差了。於是我們決定從上國中以後，不論功課多忙，每週日早上一

于珺的美國暑期學校之行。

定去打籃球，這個習慣一直維持到基測前一個禮拜。

基測前兩個月為了保持體力，我們還加碼，每週有三個晚上一起去用跑步機快走運動。**我發現于珺考前精神很好，情緒也能保持冷靜穩定，跟固定持續的運動有很大的關係。**

最後一個暑期學校，就是高一高二這一次。因為是升學率很高的名校，上課方式接近大學，我們就讓孩子依自己的興趣需求選讀。

于珺選了SAT準備課程、新聞英語寫作和經濟，偉庭則選了電腦、數學和英文。他們都長大了，已經懂得好好體驗上課氣氛和方式，從與來自世界各地的學生相處，他們也觀察學習到不少。

小四的夏令營課程結束後要回家前，爸爸提早幾天飛到舊金山來接我們。我把孩子留在大哥家，夫妻倆到拉斯維加斯玩了兩天，再回來帶他們返台。

于珺總是給人酷酷的印象，但在最近的聊天中第一次告訴我們，其實那兩個晚上她在舅舅家偷偷哭了，因為雖然過去我常出國把孩子留在家裡，請婆婆或媽媽幫忙照顧，但那是她生平第一次住在別人家，爸爸媽媽也不在身邊，還有個傻乎乎的弟弟要照顧！或許，對孩子來說，這就是一種難忘的成長滋味吧！

以身作則的價值觀

我先生只給孩子一個最高參考準則：「買東西前一定要想三遍：我真的需要這樣東西嗎？如果認真想過三遍之後，覺得還是很想買再買。」

有一次我們出國玩，回到台灣，我發現女兒的錢只花不到五分之一，很驚訝的問她為什麼都沒有用。

她說：「好奇怪，每次我看著想買的玩具，問我自己第三遍我到底需不需要這個玩具的時候，我就覺得我好像不需要買了吔！」

大概是我看起來認真可靠，也有時間意願從旁協助，孩子小學的時候，老師們都滿鼓勵我多讓孩子參加學校的各類活動或比賽。

姊姊三年級、弟弟二年級時，自然老師說服我帶著兩個孩子參加科展。老師的建議是，這麼小的年紀參加，當然不會有什麼高妙的研究主題與發現，也不可能得獎，不過目的在於觀察學習和累積經驗，如果孩子大一點對科展還有興趣的話，就很容易上手。

我覺得老師講的很有道理，反正目標是學習，沒什麼壓力，趁著低年級比較有時間試試看無妨，所以就讓弟弟約了班上另外兩個同學組隊報名。

因為年紀實在小，我們只能選擇生物方面的題目，孩子們跟老師討論之後，決定觀察比較黃金葛栽培在不同水質中的生長狀況。

有好幾個月，我家到處放滿了養著黃金葛的燒杯，每天我都要盯著孩子量氣根的長度和生長情形，並做紀錄。

比賽當天，因為怕燒杯被打破不敢太早放進會場，賽前孩子們上課的時間，我才把裝著不同實驗液體的燒杯和植物送到學校。

實在是太重了，又擔心會打翻，我一個人身上掛著大包小包，小心翼翼的兩手搬著一大籃的燒杯，在學校走廊上緩慢移動，剛好碰到一位很熟的老師走過。

那位老師看著我，非常驚訝的說：「怎麼這麼辛苦自己搬？為什麼不叫祕書或公司員工來幫忙？」

我一時有點傻眼不知如何回答，只能笑笑說：「沒關係，我自己來就好了。」

「公私分明」這樣教

我相信老師是出於好意想表達關心，但這樣的問法，卻真實反映了長久以來我們學校的家長生態。

孩子們的學校是我的母校，位於台北精華區的私立學校，家長的社經地位很高，每班都不乏有頭有臉的大人物。不論是打掃、同樂會或是校外教學，偶爾總有家長為了協助班上的事而出動家裡的幫傭，教室布置則帶公司美工部門的人進去學校幫忙做，甚至發生過外聘專業團隊代為設計製作的情形。

對忙碌有為的家長來說，錢的確可以很快又有效率的解決許多事情，「身邊隨時有人可以差遣」，更是高調的對旁人彰顯一種地位姿態。

老師或許覺得，我先生經營的雖然不是什麼了不起的大公司，但以她慣常看到的家長排場，估計我應該也有那個能力做類似的安排。

我的想法是，若我被推選為愛心媽媽，我本人就是義工，我所能做的，頂多是邀請其他家長參與幫忙，為班上孩子提供我們能力所及的協助。

公司員工領的是公司的薪水，原本的工作範圍就是公司的業務，沒有道理到學校幫老闆的孩子做事。

即使是我們自己擁有的私人小公司，我也要以身作則，讓孩子知道什麼是公私分明。

沒有這樣的觀念，就可能會成為濫用公家或上市公司資源的管理者，進而掏空公司或挪用公款也不足為奇。

當了十幾年的家長代表，在面對班上的事情時，我也盡我所能的做到以班級全體的最大利益，而非爭取自己孩子的好處為目標，我想我的用心，老師、同班的家長和孩子都是看在眼裡的。

正確的價值觀比好成績更重要

讀私立學校最大的問題，在於同學們都來自優渥的家庭環境，有些孩子在家若太受寵溺，容易變得態度驕縱、虛榮炫耀或不知民間疾苦，因此物質與行為價值觀的建立要十分謹慎，才能讓孩子們對這一類不好的影響有免疫力。

當初選擇讓孩子就讀私校之後，我就時時自我提醒，正確的價值觀絕對比好成績更重要。

價值觀，需要長時間一點一滴來養成；家庭，則是孕育價值觀的基礎環境。價值觀是一種家庭文化的傳承，孩子從小到大，耳濡目染父母長輩的一言一行，慢慢內化成一種中心思想。

當孩子有了難以動搖的中心思想，不論把孩子丟到什麼樣的環境，他的行為都會有所依據、有自己的判斷標準，不會輕易受到不良的鼓動影響。

父母給得太多，對兒女其實是一種剝奪。

如果小小年紀在物質上就太過享受，孩子未來的人生將會失去「經由自己的努力去升級享受」的樂趣。

我的孩子很幸運的生在衣食無憂的家庭，這是無法刻意偽裝或摒棄的事實，但若我給他們太多，一旦物質享受的樂趣已經堆到頂點，可能會害他們對人生沒有追求與期待；如果未來他們沒有能力維持相同等級的生活享受，他們可能會因此過得很不快樂。

不論是為了彌補或是賄賂，我們可以利用物質上的餽贈，很快速的帶給孩子快樂與滿足感，但能維持的時間卻很短暫，只會留下更多更大的空虛需要填補。

我所能做到的，就是讓孩子對金錢的使用和價值觀，盡量跟一般孩子一樣，不讓這個優勢成為形塑他們好個性和正確觀念過程中的負面力量。

我相信即使到高中，于珺和偉庭在學校，沒有人說的話，老師同學都看不出他們家裡環境不錯。他們的零用錢和飲食生活習慣跟大部分孩子是差不多的。

買東西的最高準則

除了要求他們謙遜低調，孩子從小到大，我不鼓勵他們愛美和重視外表，物質方面的東西以實用為前提，穿著打扮順眼合宜就好。

「由儉入奢易」，花錢也會成為一種習慣，所以我**盡量延遲孩子們在物質需求和享受上的等級**。

兩個孩子從來沒有要求買過任何有品牌的衣物或球鞋；上高中以後他們或許對服裝款式和花色有自己的主張，但對品牌、價位完全沒意見，通常我帶他們買什麼他們就穿什麼。

直到高中畢業以前，他們都是輪流撿先生和我的舊電腦、舊手機用，從未因為羨慕同學有什麼新東西而要求我們買。

兒子國中時曾經回來說，大概他用的手機款型太老舊了，有同學覺得他好節儉喔！

我問他：「你為什麼會這麼省？」

他想了想，表情嚴肅的回答說：「爸爸很小氣，所以我們都不會亂買東西。」聽得我忍不住想笑。

因為孩子們生活上必要的用品都不缺，所以平常我們給的零用錢不多，只有在全家出國玩的時候，我們才會把奶奶給的外幣紅包交給他們學習管理，讓他們可以自己作主要買什麼。

我先生只給孩子一個最高參考準則：「買東西前一定要想三遍：我真的需要這樣東西嗎？如果認真想過三遍之後，覺得還是很想買再買。」

有一次我們出國玩，回到台灣，我發現女兒的錢只花不到五分之一，很驚訝的問

她為什麼都沒有用。

她說：「好奇怪，每次我看著想買的玩具，問我自己第三遍我到底需不需要這個玩具的時候，我就覺得我好像不需要買了吔！」

最奢華無價的收藏

我先生很節儉，除了真的每天在使用的東西會講究品質，我們家沒有任何有高貴價值的物質收藏。我們不蒐集名錶名車名酒名畫或骨董珠寶，家庭的最大花費全部在旅遊上——我們只收集經驗和回憶，這個觀念，我從我先生身上學到很多。

十幾年前，我先生曾有機會到大陸購

在內蒙騰格里沙漠。旅行是我們一家人共同的美好經驗與回憶。

地拓展事業，但當時我們經過正反面影響的考量討論過後，決定放棄那樣做。

我們都覺得，錢夠用就好，事業不必做太大，尤其在有了孩子之後，沒有什麼比圓滿的家庭生活更重要。

人生只是一個過程，生不帶來死不帶去，對我們來說，家人共同的美好經驗與回憶，才是最奢華無價的收藏。

教養，預防勝於治療

孩子的成長只有一次，無法回頭重來。不論是什麼樣的狀況，當事情發生了我們才發覺不對的時候，已經太慢了。

做父母的應該盡量利用自己的生活歷練「想在前面」。例如看到別人帶孩子的方式，或者一些其他青少年的例子，就可以認真思考：「如果是我，我會怎麼處理？怎麼做比較好？」

孩子才兩、三歲的時候，記得有回餐聚，席間一位好友談到去朋友家作客的經驗。她說一群人吃完飯，在客廳裡聊天，主人在美國念書的十六歲兒子忽然回來了。那個孩子理了一個雞冠型的龐克頭，還染成彩色，耳朵穿了好多耳洞，戴滿耳環。在場的每一位阿姨看到他，都目瞪口呆說不出話來。

雖然現在社會上對這一類的事包容力很強，不會大驚小怪，但十幾年前一般人的觀念還是很保守。

好友說，只見主人若無其事的要孩子來打招呼，大家也都不敢說什麼。等那孩子一離開，主人看著大家驚訝的眼神，苦笑說：「唉……這種年紀的孩子講不得碰不得，沒辦法。」

她暗自擔心著：「將來我的孩子到叛逆期是不是也會如此？」她提供給我們這些新手媽咪的心得是：青春期以後孩子會變什麼樣子，實在不是父母可以掌握的，只能聽天由命。

聽了這樣的故事，我腦中也跟著浮現出非常鮮活的場景情節，立刻在心裡自問：「如果我的孩子有一天把頭髮剃光，只留下一排彩色矗立的『雞冠』，在身上打很多洞、掛很多環，我有辦法平心靜氣的面對他而不抓狂嗎？」

當我發現自己的答案是「好像有點困難」時，我忍不住又想：「每個孩子一定都會有叛逆期嗎？」「有沒有什麼樣的教養方式，可以避免親子關係往那樣的方向發展？」

在問題發生前，就先想該怎麼解決

不久前，一位記者在對我的訪談中，忽然很驚訝的看著我：「從剛剛聊到現在，我發現妳很有『問題意識』！」

這位也有孩子的記者小姐說：「我覺得我在養孩子的過程中，好像都沒有多想，就跟著孩子的成長一路走到現在，總是碰到了問題才開始煩惱。」

她有感而發的當時，我正在描述我怎樣整理孩子的衣櫃。

我從小就喜歡把生活上的物品整理得有條不紊，雖然我很少看居家收納的工具書，但每當有不理想的地方時，我會立刻開始動腦想辦法改善現況。

像衣櫃抽屜很深，以T恤來說，我們平常都習慣把衣服上下疊，可以放個四、五件左右，可是卻因此只看得到最上面那一件，無法掌握到全部衣服的情況，孩子往往會為了找某一件T恤而翻箱倒櫃，結果整個抽屜的T恤都必須重新疊。

十幾年前，為了解決這個問題，我自己想了一個辦法。

把小孩的T恤全部用捲的或摺好後立起來，排放在抽屜內。如果讓捲或摺的高度符合抽屜深度立放，拿的時候是垂直抽出來，就不會影響其他T恤的次序和整齊度。

由於T恤的主圖案通常都在胸前部分，所以摺疊時我會讓圖案露在上方摺線處，如此所有衣服的花色就一目了然。

直到兩、三年前，我在書店翻到一本教收納的書，才發現書裡也會這樣教讀者摺衣服。

這位記者的結論是：「衣服上下疊放，一般人或許覺得不方便，但也習以為常。若沒有像妳這樣的『問題意識』，不感到困擾的話，就不會產生解決的動力，更不會跑出辦法來了。」

回想「雞冠龐克」事件，對同一件事的反應，我跟那位朋友的不同處或許在於，看到問題「樣本」時，如果我認為將來有可能碰到的話，我習慣上會立刻思索有沒有避免或改善的方法。

幫孩子分析利弊，讓孩子做適合自己的選擇

正因為期待孩子到青少年期，我們夫妻還有機會跟他們保持溝通管道的暢通，減少環境所造成的反向拉力，七年前，爸爸和我決定勸一心想到美國念書的女兒，留在國內教育系統直到高中畢業。

並不是讓孩子念美國學校或當小留學生的家庭，父母和孩子就不能溝通，而是這兩種教育精神在本質上是有差異的，對孩子的觀念和行為會產生相當大的影響。

我猜想，在鼓勵獨立自由的美式教育中成長的孩子，應該很快就會有強烈的主見，父母可能被迫在還沒有準備好的情況下就得放手。

在不同教育體系間所做的抉擇沒有對錯好壞的問題，而是不同的環境、教材、師長與同儕，會左右孩子的價值觀，讓孩子表現出完全不同的思考行為模式。

即使在同一種教育系統內，選擇公立或私立、通學或住校等等，也會產生相異的影響。

這個選擇權，就是上天交到父母手中的權力與權利。

做父母的在為年紀還小的孩子做這一類的抉擇時，**應該認真預想未來可能的發展情況、有些什麼利弊優缺，以及與自己的想像、期待相不相符，才是負責任的決定**，而不是親朋好友怎麼做，或社會上流行的是什麼，我們就跟著做。

或許有人會說，怎麼可以事事幫孩子決定呢？我們要尊重孩子的性向和意見啊?!

其實，從小到大，我們不知道幫孩子做過多少的選擇和決定，小從奶粉、食物、服裝，大到教育體系和人生方向，**只是在孩子成熟的過程中，我們會逐步把各類選擇權移交到孩子手中**。

管制、引導、尊重或放任，都是一種面對子女的「態度」，都是父母的選擇，從而影響孩子的未來發展。

通常回頭看一個人的一生，往往不難看出父母的教養態度如何形塑這個人的一輩子。

我覺得有很多事，父母不該放任生活經驗和常識不足的孩子做決定。

對於大一點的孩子，我們可以讓他們好好練習怎樣做明智、不後悔的「選擇」，那就是在他們自己做決定前，父母應該要協助孩子了解他們手中有哪些選項，以及選擇後可能的結果，理智而非意氣地做判斷，勉勵孩子「選我所愛」，然後努力的「愛我所選」。

我一向慣於**從結果來決定方法**。

例如我年輕時就覺得，父母任由已經不是小baby的孩子在公共場所大哭大鬧，是相當失禮的事，因此在教育自己的孩子時，我就會特別注意這一點，研究該如何讓孩子懂得尊重長輩的指示，並約束自己的行為。

在家裡，我嘗試用賞罰分明來引導孩子養成遵守規範與尊重他人的習慣，更從來不給他們任何機會以哭鬧作為手段而得逞，效果似乎不錯。

所以當有親戚朋友問我：「奇怪？你的小孩年紀這麼小卻好理性喔！」我會立刻搬出我的「理論」：「小小孩精得很，如果他們發現用哭用吵的絕對達不到目的，自然會好好用說的！」

對於婚姻出狀況正在苦惱中的朋友，我的建議也是「從希望得到的結果來回推解決方案」。

問題已經發生了，每天哭鬧、吵架和怨天尤人對現況都沒有幫助，最好是先想清楚自己終究想要的是什麼？要維護尊嚴不惜背水一戰？還是無論如何希望保持家庭完整？從自己期待的結果再回頭來決定要採取什麼樣的做法，認真找出問題癥結點對症下藥，這樣有目標的執行，即使當下必須做一些讓自己感到辛苦或委曲求全的事，也

比較不會怨懟。

面對生活中的大小事，若腦子裡常亂糟糟的沒有目標，也沒有計畫，對可能發生的幾種後續發展連想都沒想過的話，結果當然很容易會「出人意表」。

從興趣和熱情來選擇工作

像于珺在選擇要去美國哪一所大學時，雖然我總是開玩笑說我是虛榮的媽媽，當然是去哈佛最好，其實爸爸和我都要求孩子要仔細研究比較幾家學校的特色，從中找出最喜歡最適合自己的，而不要有排名的迷思或受制於眼前的社會價值觀。

我們會為孩子分析學校名氣和主修科系對入社會後的影響，盡量把各種選擇可能造成的優、缺點講給她聽，但畢竟讀大學是為自己的將來，還是要由她自己依興趣和熱情來做最後的決定。

兒子高三的時候，學校曾經邀請台大財金系的系主任陳明賢教授，來對孩子們分析如何找出自己的第一志願，講得非常好。

他說令人羨慕的職業，不一定是能讓自己快樂或滿意的工作，他希望家長和孩子們不要只看分數排名來選學校科系，要**思考「如何選擇一個自己喜歡的志業或生涯，同時也可以保持幸福的生活」**。

舉例來說，即使學測考了滿級分，在選擇醫學系所之前，應該要花時間了解醫生的工作內容和生活方式，到底是不是未來自己心甘情願一輩子從事的行業。

眼光放遠，就可以預見可能發生的問題與狀況，有利於幫助自己做出將來比較不會後悔的決定。

「想在前面」的教養哲學

帶孩子，我喜歡找方法，不過我並不特別偏好專家意見，沒有看教養書的習慣。不常看教養書的主要原因，是印象中剛解嚴後那十幾年，比較流行歐美觀點「開放」、「溫柔」、「主張讚美獎勵不贊成處罰」的幼兒教養方式，我個人並不贊同，所以很少看，多半是拿自己的成長經驗和身邊一些比較大的孩子的發展狀況作為參考，自己摸索。

那麼，到底該從哪裡「找問題」呢？

我認為只要注意看，認真聽，每天都有很多的訊息值得我們深思。像新聞媒體就常報導一些兒童到青少年的流行活動和社會問題，都可以多加留意。

父母有心的話，從身旁取材學習是最快的。可以多多觀察親朋好友鄰居家，跟自己孩子同齡以上一直到大十歲左右的孩子以及他們的父母。

了解那種年紀孩子的行為想法，看別人帶孩子的方式，一定會看到很多親子互動、讀書方法、好壞習慣、才藝補習的安排等種種範例，可以拿來參考借鏡、多方請

教前輩心得，並認真思考：「如果是我，我會怎麼處理？怎麼做比較好？」

孩子的成長只有一次，無法回頭重來。不論是什麼樣的狀況，當事情發生了我們才發覺不對的時候，已經太慢了。

做父母的，應該盡量利用自己的生活歷練「想在前面」。

如果想過對策也採行後，卻沒有達到預期的效果，不用太沮喪失望，因為畢竟已經想過各種可能性，好處是有做過最壞的打算，比較不會意外慌張。

對自己，對孩子，我一再勉勵自己要「平常心」，做到「盡人事，聽天命」，享受努力付出的過程，然後把期望降到最低。

這樣的話，結果就算不盡如人意，我已有了心理準備；若能得到成功的甘果，那就是幸運的驚喜了！

早已做好心理準備

曾有朋友問我：「你終究還是把孩子送去美國念大學了。如果你女兒決定嫁給外國人，甚至做了超乎你想像的誇張決定，你受得了嗎？」

其實，這一類的情況我都預想過，心理上也準備好了。

爸爸和我當初的設定，就是在孩子十八歲到美國念大學之後，我們就會把他們視為成人對待，所以在過去幾年，我們一直是以這樣的目標在培養孩子獨立自主的能力。像以後想從事哪種行業、要不要結婚、婚姻的對象等等，只要他們想清楚了，堅持是自己喜歡的，我都不會反對。

女兒到美國念書前，我們提醒她：「你要記得，父母是最關心你的人，未來有些事，就算我們跟你的看法不一樣，爸爸媽媽還是必須向你表達，因為我們的立場和用意是絕對良善的，你一定要認真考量我們的意見。」

假如孩子未來想做我不贊同的決定，我會提出善意的建議，但那畢竟是他們自己的人生，除非他們作奸犯科，違背社會道德，不然，我絕對會尊重他們的任何選擇與決定。

媽媽的媽媽的味道

時代不同了，以前的母親是單一的「賢妻良母」形象，所有孩子畫的媽媽圖像，好像都是穿著圍裙拿著鍋鏟，但是現在的媽媽可以有多樣性的面貌。

沒有任何一個母親可以十項全能、十全十美——任何人、任何角色的表現，都會受限於時間與個人的環境條件。一個必須為家庭生活打拚的職業婦女，只要調整好心態，認真經營，一定也可以成為孩子心目中的一百分媽媽。

二〇一〇年聖誕節，女兒上大學以後第一次回家度假。

雖然離家才三個多月，但這是她第一次離家獨立生活這麼長的時間。剛回到家她就已經擬好了一份一解鄉愁的飲食清單：除了「謝絕西餐」這個大前提，上面有她最愛的珍珠奶茶、粉圓、炒米粉、燙粉腸和滷肉飯等等各類台式小吃，其中還有一項是

擁有一身好廚藝的外婆，基測前特地來教于珺包高「粽」。

「外婆的牛肉麵」。

把孩子養成這麼「台灣胃」，正是我們當初堅持把她留在台灣到高中畢業的目的之一。

暗自希望在這麼國際化的時代，孩子未來學成之後，會因此傾向於選擇離家較近的地區生活就業。飲食記憶的歸屬感，是一種深層的文化力量，是親情以外，遊子對家鄉最強烈的情感連結。

不過女兒想念「媽媽的味道」，就這麼直接跳過媽媽，指定媽媽的媽媽的菜，講起來似乎有點汗顏。

我承認自己的廚藝普普，也只能心虛的自我安慰說，幸好沒有因此養出「嘴刁的孩子」。

兩個小孩從上學以來，跟我們世界各地旅行時吃遍了山珍海味，卻從沒嫌過學校任何一樣菜色不好吃。除了孩子生病拉肚子和矯正牙齒期間，我幫他們送過稀飯，他們都是吃學校的營養午餐，我從沒有幫他們送過便當。

我要求孩子的原則是：同學能做的你們都能做，同學能吃的你們也都能吃。即使家裡環境過得去，我也絕不容許他們養成半點嬌氣或驕氣。

一百分媽媽不是只有一種類型

有個朋友是新手媽媽，擔心自己不擅做菜，沒辦法做出讓孩子長大後可以懷念的「媽媽的味道」，因而趕緊去報名烹飪班。

我想所有做媽媽的在帶孩子的過程中，一定都曾因為親朋好友善意的「批評指教」，或跟周圍同齡孩子家長之間的比較，有過無數的擔憂焦慮：擔心自己太少親自下廚、怕自己陪伴孩子談心的時間不夠、緊張自己沒有辦法帶著孩子登山下鄉抓蟲賞鳥……

總之，看到別的媽媽好像事事都親力親為，做得十分完美，就深怕自己不這麼做的話，會是個不稱職的媽媽。

我記得剛結婚時，一位前輩告訴我一個小故事。她說她年輕時，一次太太們的飯局中，一位花名在外的企業界名流的妻子（現已變成前任），在眾人面前炫耀自己廚藝一流，並告誡大家「要抓住老公的心，就要抓住他的胃」。

後來事實證明，菜做得好不好，在夫妻相處，甚至於親子關係中並不是重點。

每個人生活上的重心、喜好各不相同，人與人相處的錯綜因素更交織出複雜的影響與結果，別人成功或失敗的前例都值得參考借鏡，但不見得適合自己的狀況。彼此用心相處，願意正視問題，時時微調互動方式，才是維繫良好關係的鐵律。

其實，只要自己評估過後覺得該做，也想做的，認真而甘願的去做，都是好事。但是，如果環境條件不允許，甚至與自己的興趣意願不合，則絕沒有必要勉強。

時代不同了，以前的母親是單一的「賢妻良母」形象，所有孩子畫的媽媽圖像，好像都是穿著圍裙拿著鍋鏟，但是現在的媽媽可以有多樣性的面貌。

沒有任何一個母親可以十項全能、十全十美——任何人、任何角色的表現，都會受限於時間與個人的環境條件。一個必須為家庭生活打拚的職業婦女，只要調整好心態，認真經營，一定也可以成為孩子心目中的一百分媽媽。

不過，廚藝不佳的媽媽若像我一樣有個很會做菜的媽媽，那就棒呆了。孩子上幼稚園以後，我很快發現，當家裡有節慶想「吃點不一樣的、好吃的」，直接把外婆請來坐鎮指揮，效率和效果都最佳，還達到家族聚餐功效，一舉數得。

老人家光聽孩子一句接一句的「好好吃喔～」，就被逗得眉開眼笑。

小叮噹媽媽

那在孩子的心目中，我這個媽媽到底有什麼屬於自己的「味道」呢？

半年前，女兒參加一個團隊活動，結業式時邀請家長出席，每個十幾二十歲的大

孩子，都要對所有人介紹自己的家長，那是我生平第一次聽到女兒如何在外人面前描述我。

她說：「我媽媽多才多藝，很有創意，也很好笑！」

除了最後四個字，聽起來還真像我從小到大成績單上的導師評語！

「多才多藝」的真正含義，就是什麼都會一點，但什麼都不精。我從小就愛畫畫寫作，雖沒受過專業訓練，以前班上的壁報或布置一定有我參與製作，直到高中，都還常常代表學校出去參加繪畫比賽。

每回小孩臨時要趕交勞作或圖畫，我家裡各類紙張材料和美術用品都有。我喜歡唱歌跳舞，學過十幾年鋼琴，曾參加演講比賽，帶過不少班級活動，大學都在演舞台劇，畢業後混了一年電視主持工作，一路走來，念書也勉強算得上得心應手，所以小孩子小學畢業以前，不論帶任何課內外活動或家庭作業的疑問回來，好像都難不倒我。

我對陪孩子動手動腦，也頗能樂在其中。除了跟先生出國，我在台灣的時候，晚上很少參加應酬飯局，不管孩子需不需要我，我都是在家「待機」狀態，隨時等著提供支援。

兩個孩子從小到大，所有的中英文演講、話劇、班級表演等，我都是義務顧問。女兒高一時，自己報名參加北一女的英語演講比賽，她也是拿著題目來找我商量，寫好稿後，我幫她修改潤飾，指導她語調儀態。

或許因為這樣，孩子才會誤以為媽媽多才多藝吧！一個有點像小叮噹的媽媽，不

知是否就是我的孩子印象中「媽媽的味道」？

我覺得，小學以下的孩子最需要的是「時間」，是父母親真心的陪伴與關愛所帶給孩子的安全感，內容反而不是最大的重點。在屬於良好教養的前提下（比方帶小小孩泡網咖就不應該），不要過度呵護溺愛，也不要過於功利的只在乎學業才藝。

我鼓勵年輕媽媽們用自己最喜歡、最擅長、最方便的形式陪伴孩子，快樂的用自己的方法表現對孩子的愛，在孩子的記憶中，營造出屬於自己的「味道」。

媽媽自己過得開心滿意，才有辦法讓親子時光溫暖充實。

老師難為

我想一般家長最常碰到需要出面處理的情形，是孩子在學校跟其他同學間有了爭執、惡作劇、肢體碰撞打架等事況，或結伴違反校規等等。

我認為家長們在尚未了解情況時，絕對不該講出這兩句話：「我的孩子不會說謊」，以及「我的孩子很乖，他不可能會做這樣的事」。

經過了一個寒假，小一的弟弟偉庭班上，一群只接受過「文明開化」洗禮一學期的孩子們又回到了學校。我也在假期過後，第一次於週三早自習時間，以英文愛心媽媽的身分，再度來到班上為孩子們講英文故事。

于珺入學以後行為表現沒問題，每次段考又都是第一名，我根本沒有事情需要去學校和老師打交道，所以她一年級那一整年我幾乎是糊裡糊塗的就過了。

但第二年緊接著上小一的弟弟，開學才一兩個禮拜，聯絡簿的老師意見欄就天天被寫一大串紅字，狀況之多，類繁不及備載，總之，仔細研究下來，主要原因脫不了「坐不住」和「管不住嘴巴」。

雖然每天晚上我都拿著聯絡簿對弟弟耳提面命、一再叮嚀，似乎都沒什麼改善。我實在很難想像，他在學校裡究竟是什麼樣的情形？到底該怎麼處理才好？

為了希望進入學校了解狀況，但不打擾到老師教學，我向老師提出，我願意擔任班上的愛心媽媽，不知道有什麼我可以幫忙的。

老師想想說：「高媽媽，聽說你有英文專長，不然請你每週三早自習來班上講英文故事好了。」

我大學時代曾擔任英文家教和美語補習班的老師，心想家裡兩個小鬼也被我管得服服貼貼的，講講故事應該難不倒我吧?!

沒想到于珺的導師聽說了這件事，直說：「不可以不公平！」也要求我另找一天去姊姊班上講故事。就這樣，我當了長達幾年的英文故事媽媽。

場面完全失控

第一個學期的進展很順利，因為姊姊班已經是二年級，孩子們聽講互動狀況非常好。弟弟班上的一群小毛頭則由於年紀小，有點「呆呆」的，也還算好掌控。

弟弟的導師因為每週三早自習時間要幫忙訓練學校合唱團，到後來我帶上手了，

老師都可以離開教室，交給我負責講故事，直到老師回來上課。

但我萬萬沒有想到，隔一個短短的寒假不見，我再去弟弟班講故事時，老師前腳才踏出教室，我連故事書都還來不及拿出來，就開始有人爬到椅子上站起來，有人離開座位四處遊蕩，我才安撫完A同學，B同學又晃到教室後面了。

接下來是搶東西、相互拉扯、皮蛋男生追著小女生全場跑，沒多久教室兩端開始有人隔空相互指責，有人告狀、有人哭鬧，大家為了蓋過別人的聲音越吼越大聲，無論我怎麼喊「小朋友，安靜！」「XXX！你先坐下來！」都沒有用。

我發現我越聲嘶力竭，場面越失控。

原來，小學低年級的教室秩序，就像是一串鞭炮，一旦點燃就連環爆。當時我只有掩耳逃離的衝動，完全沒有頭緒該如何處理。

就這樣，一團混亂的四十分鐘過去，當老師回到教室時，我為宛如民代剛打完群架的現場感到十分抱歉，趕緊向老師請罪：「老師，下禮拜起，我是不是不用再來了？」

老師安慰我說：「千萬不要在意，這很正常啦！上學期他們剛入學還沒『進入狀況』，現在環境、朋友都熟了，膽子自然也大了。玩一整個寒假，心野了，當然需要一點時間收心。」

看我一臉頹喪的走出教室，老師趕緊加了一句：「高媽媽，記得下禮拜還是要來喔！」

我「心有餘悸」的走出校門，一時心緒雜亂，無法回家，就獨自抱著一疊英文故事書到學校旁邊的咖啡廳坐下來。

我第一次看到幾十個小孩子同時吵鬧失控的場景，也完全無法想像，為什麼我對年紀這麼小的一群孩子竟會如此的束手無策？我呆呆的獨自坐了好久，耳邊似乎還是他們的尖聲叫喊，沮喪茫然的心情久久不能平復。

蠟燭多頭燒

接下來，在老師幾天的「收心」操練後，講故事的狀況當然很快的上了軌道，不過那一天的經驗讓我永難忘懷，對老師們控制一群「小野蠻人」的功力，打從心裡佩服。也因此，我常常忍不住想像老師們的上課和生活實況有多辛苦，尤其是年紀和我差不多、也有孩子的女老師們。

每天，我光處理家裡兩個小孩就忙得焦頭爛額，長期睡眠不足。不過白天孩子上學後，我還有一點自己的時間，可以隨時補眠休息，老師卻像所有的職業婦女一樣，從早到晚不得停歇。

早上，她們比我們早到學校，放學比我們晚離開，除了一節又一節的站著講課，還要面對許多來自於各式各樣家庭的孩子和觀念期待大不同的家長，有百出的狀況等著她們應變。

如果家裡有比較小的孩子，她們也需要去接送孩子上才藝課、回家燒飯打掃，晚上還可能要改作業和應付家長來電……原來媽媽老師們的生活，才真的是蠟燭幾頭燒啊。

老師的教學困境

我曾聽一位在國小任教的同學說過，現在有不少家長只關心課業和成績，在家裡搶著做老師的工作，每天認真教功課趕進度，對生活教育卻毫不在意，孩子因此欠缺基本生活自理能力和禮儀。

她描述班上一位家長，常常為了一分、兩分到學校來爭論要分數，那個孩子卻「不會擤鼻涕、不會綁鞋帶、不會擦屁股」，讓她非常頭痛。

老師的工作應該是教學和指導團體生活規範，不少小學導師卻被迫花很多的時間精神，**教導個別孩子本來應該從家庭生活中學習到的生活常規。**

或許因為那一次的說故事經驗，加上我長期擔任愛心媽媽和家長代表，常有機會看到老師處理一些棘手的狀況，讓我比較能體會到老師難為。

我常想，若在家裡被孩子「忤逆」，因為孩子是自己生、自己養的，再多的氣也只好認了，但看到一些被寵壞的孩子在學校裡對老師態度惡劣、出言不遜，不免為老師們心疼抱屈。

我有一些到學校演講的經驗，可以深深體會認真好學的學生能帶給老師（講者）多麼大的鼓勵與回饋，我相信這是一個有熱情、有理想的老師可以得到最大快樂與滿足的地方。

長期面對無心學習或態度頑劣的學生，再大的教學熱情也會被澆熄。

我常常對兒女說，老師不見得會喜歡成績好的學生，但一定會欣賞認真好學的孩子，因此，我一再提醒他們，**上課專心聽講就是對老師最大的尊重**。

雖然現代的年輕人很有想法，但老師在學識和生活經歷上絕對有值得後輩學生尊敬的地方，即使不認同某個老師的教學，或不喜歡某位老師的個性，想挑戰或打破這些現況時，務必保持對長輩應有的禮貌，拿出真正有說服力的理由據理力爭。

父母對老師也必須尊重有禮，若對教學有意見或不滿，要避免在孩子面前數落老師的不是，應該找其他家長深入了解實際狀況後，再決定如何處理，不要聽了孩子的一面之詞或一兩位家長的說詞就附和。

現在有很多家長喜歡插手老師的教學方式和進度，我想應該會造成老師們不少的困擾，尤其有些三高家長（學歷高、能力高、收入高）自視過高，如果再加上一高（社經地位高），老師的日子更是過得戰戰兢兢了。

家長的態度和立場要盡量和學校老師一致，就像在家裡，父母的態度立場要統一是一樣的。

家長可以做的事

沒有一種進度教法可以讓所有人都滿意，像對回家作業功課的量，我就常常聽到兩極化的意見——有家長抱怨太多，也有家長覺得不夠，其實這都是每個家庭標準不同的關係。

若真的有離譜的情形，還是該參考全體同學的狀況後，再共同對老師建議，個人或少數家長不應干涉。

學習比較快的孩子，可以請老師提供比較多或難的參考練習資料；比較慢的孩子，也可以跟老師商量在某些功課上減量或延後交的時間。

學校是孩子進入社會生活的過渡階段，在這十幾年的過程中，除了習得基礎學識外，還包括了各種人際關係的訓練。

我想一般家長最常碰到需要出面處理的情形，是孩子在學校跟其他同學間有了爭執、惡作劇、肢體碰撞打架等事況，或結伴違反校規等等。我認為家長們在尚未了解情況時，絕對不該講出這兩句話：「我的孩子不會說謊」，以及「我的孩子很乖，他不可能會做這樣的事」。

以前兒子在學校發生狀況時，他回來向我描述事件發生過程如何如何，我心裡對他的說法一定是先有所保留。

我會去學校找老師了解，然後去問其他同學，盡可能拼湊出事實，再來處理。

我們自己小時候都有經驗，做錯事怕媽媽罵，會想辦法遮掩、避重就輕甚至說謊，無論如何，一定傾向講一個有利於自己的說法，這是所有人都有的避害本能，並不奇怪。

一味護著自己孩子的家長，的確會造成老師的困擾。

聽說小孩可能在外惹出麻煩，父母的態度首先要讓孩子知道，我們不會只聽他的一面之詞。

我看過原本是朋友的家長反目，就是因為互相指控對方不好，認定自己的孩子說的才是實話。

所有的父母都應該要有這種心理準備：小孩在父母面前和背後的表現，的確有可能是不一樣的。

這個認知在教養上非常重要。我們應該永遠支持我們的孩子，他們若被冤枉了，我們要協助他們讓真相明朗，還他們「清白」；但當他們有錯，就絕不能維護掩蓋，模糊是非。犯錯的孩子也應該自己面對、接受處罰。

我聽說有家長為孩子動手打同學致電給對方家長道歉，但說法卻是希望大家能夠「包容」他家孩子有「XX症」。

有天生的疾病一定要好好治療，大家也會諒解，問題是有很多案例，旁人怎麼看都是寵出來的病。

當然，我也有一些建言想提供給勞苦功高的老師們參考。

我從孩子們的成長經驗中發覺，最讓孩子討厭的老師，是不公平、不公正的老師。我在其他篇章中提到，于珺國小時，曾經因為不適應一位老師教數學的方式，而不喜歡數學，但因為那位老師是一位做事有原則，也很正直、公平的好老師，于珺完全沒有因此不喜歡她，至今還是很懷念那位老師。

反而有一位老師，因為總是明顯袒護某個「大咖」的孩子，幾乎所有我還有接觸的同班孩子和家長至今回想到她，都還是怨聲連連。

我覺得家長應該和老師保持良好的關係與適度的聯繫，但不應該走得太近，尤其是在社會上或對學校有影響力的家長。

兩個孩子和我很幸運，一路走來碰到的幾乎都是好老師，不過這些年來教育大環境一直在變化，家長們的茫然憂慮可想而知。

十二年國教上路之後，當最公平、公正的大考制度取消，學校成績就成了左右孩子未來發展的重要因素。在此，更深深期待肩負著教育我們下一代重任的老師們，一定要盡量做到公平、公正、無私。

教養，必須投入時間與專注

我常提醒年輕的爸爸媽媽，千萬不要人云亦云，看到周邊的孩子在學什麼才藝，就很羨慕或很緊張的跟著去做。

因為每個人一天都只有二十四小時，不可能什麼都學，所以如何有效利用與安排時間，成了我的教養重心之一，而幾乎每個學期，我都會和孩子們做一次時間分配的檢討。

我們設定了一個原則，那就是一切以課業為最優先，再來和孩子依據興趣與意願，共同依序排出重要性。

我有一個好朋友，多年來一直非常照顧我。每次當她要把我介紹給她的朋友時，開場總是這樣的：「來！我介紹你們認識——這個梁ＸＸ是全台灣最好命的女人，學歷好又有自己的事業，老公會賺錢又顧家，孩子聽話會念書，不知道前輩子是什麼樣的好人，修了幾輩子的福！」

雖然我的確覺得過去幾十年，自己一路走來真的很順遂，但這位好友總是在陌生人面前如此形容我，讓我很不好意思。不少朋友羨慕我，認為我「很有辦法」，能同時擁有幸福的家庭、乖巧的子女、工作與興趣，猜想我或許有什麼特別的能耐或方法。

獨特的「傻子功」

其實比起一些事業和家庭兼顧，兩邊都表現得有聲有色的女強人，我並沒有什麼了不起的成就，連一般身為商人婦該有的幫夫社交手腕都很欠缺。

如果有人覺得我所做出來的「成績」值得羨慕的話，我想除了運氣之外，所有的一切，其實都是**我慢慢用「時間」換來的**。

以投入的時間與專心度來看，我有的只是「傻子功」罷了。

不論是家庭生活、孩子的教育，還有我目前手中那些微不足道也尚未有好成績的工作，我都花了相當多的時間去經營，而且我對人生每個階段所需要扮演的角色，也都很專心，從未貪想自己可以有能力同時做好幾件事。

婚後，我的生活完全以家庭為主，有了孩子以後，我專心帶孩子十年，他們高年級以後，我才投入親子館的經營（很幸運的是，這項親子教育工作對我個人的親子教養也很有幫助），直到這幾年親子館上軌道以後，我才開始利用閒暇寫作。表面上看起來，我好像很輕鬆的同時做到了很多樣事情，其實並不是這樣的。

優秀學生的共同點

我常對孩子說，世界上有好多不公平的事：有人含著金湯匙出生，有人生來比你漂亮比你帥，有人就是天生聰明頭腦快，但世界上有一件事最公平，那就是「時間」。不論貧富貴賤智愚美醜，每個人的一天都是二十四小時，求也求不來，買也買不到。

以前于珺會覺得困惑，為什麼班上有同學好像不用念書就可以考很好？我告訴她，天下沒有這種事。小學低年級時的課業很簡單或許有可能如此，但當所學的東西愈來愈困難，學問愈來愈高深，除了非常非常少數的天才，沒有人可以不花時間讀書，就可以得到好成績，尤其是文史語言方面的課程。

唯一的差別，只在於具有讀書天分的人，花比較少的時間，就可以達到或超越一般人能表現的水平，所以聰明的孩子，感覺上好像可以有比較多的時間，那是因為他們在同樣的時間內，可以完成比較多的事。所以，倘若我們自覺天分不足，就需要加倍的努力，也需要比別人更專注。

我看過不少第一志願和名校的優秀學生，並非人人聰明絕頂，但他們多半有一個共同的「特長」，就是很會利用時間。善用計畫積極堅持，為自己爭取到更多可以有

效利用的時間，是這些優秀的孩子能夠多才多藝、兼顧課業與活動的最大因素。

父母安排孩子的時間，不能貪心

為了讓孩子學到更多知識、習得更多才藝，現代的父母無不竭盡所能，為孩子提供更多的管道，爭取更多的機會，但問題是，就算經濟條件允許，孩子就是沒有這麼多的時間。

因此，我常提醒年輕的爸爸媽媽，千萬不要人云亦云，看到周邊的孩子在做什麼，就很羨慕或很緊張的跟著去做。

聽說小君寫書法不錯，就想把孩子送去學書法練定力。看到隔壁的小明小小年紀就參加圍棋賽得獎，心想孩子是否也該去學圍棋？孩子回來說同學小玲上珠心算，又覺得孩子應該學學珠心算打數學基礎。發現孩子吃多少動有發胖傾向，還是該去學跆拳道打網球吧?!甚至補習，同學補就跟著去補，從一科、兩科，補到全科，一個孩子哪來這麼多時間啊！

所有的功課和才藝學習，除了上課，都還需要課餘時間反覆操練或加強練習，才會得到應有的效果，因此在孩子的時間安排上，就是要用心選擇，有所取捨，不能貪心，什麼都想要。

當我們看到一個孩子在某方面有很傑出的表現時，同時也意味著這個孩子放棄了其他許多方面的學習機會與人生經驗，而且越是頂尖的專才，放棄得越多。

「深」與「廣」各在人生方向的不同盡頭，我們所做的時間分配，決定了我們的行進角度與路線。

與孩子討論時間的運用

因為看不出我的孩子有什麼特別的天賦才能，在他們中年級以前時間比較多，我就盡量讓他們廣泛接觸各式各樣的才藝與活動。但從中高年級開始，因為課業越來越繁重，孩子在學校的時間也逐漸延長，能自由運用的時間越來越少，就到了必須去蕪存菁的時候。

幾乎每個學期，我和孩子們都要做一次時間分配的檢討。我們設定了一個原則，那就是**一切以課業為最優先，再來和孩子依據興趣與意願，共同依序排出重要性。**

舉例來說，假設在課業之外，我們共同設定英文為第一優先，接下來是書法、鋼琴、籃球（或其他運動）、自然科學課、日文……在才藝功課的時間分配上，就要照著這個順序做。

如果覺得孩子負荷太重，功課顧不來了，就從最不重要的開始逐項刪除。

有些項目比方像運動，即使孩子很忙，為了身體健康和維持良好的運動習慣，也應該不要刪除而是減量——減少花在上面的時間並降低對進度成果的要求，或是改採其他比較不這麼花時間的方案。像于珺和偉庭在國三準備基測的那段時間，平日我們就用跑步機和跳繩來維持體能。

有些家長或孩子會把成績相當的同學當成要打敗的競爭對手，其實我深深覺得，**「時間」，才是我們一生最大的敵人**；我們的一輩子，都在跟時間賽跑。

如果硬要把人生比喻成一種競賽的話，我想能夠把時間運用得最有效率，或是用得對自己最有意義的人，才是贏家。

旅行，創造你和孩子的回憶

由於出發前我都會要求孩子先對目的地做點功課進行了解，第二次那一趟排行程時，于珺跑來問我們：「北海道的函館夜景是不是很有名？」

爸爸回答：「對啊，號稱百萬夜景呢！你想去看嗎？」

于珺說：「好啊！」

爸爸聽了非常高興，覺得孩子行前有深入研究值得獎勵，因此決定把上次去過的札幌從行程中剔除，改去函館。

後來我們一到函館，才發現，原來我們被設計了！

戒嚴時代，出國旅遊對多數台灣人來說，是遙不可及的夢想。當初父親幫我取這個名字的時候，絕對料想不到我後來真的會風塵僕僕、一生驛馬。

我大學畢業以後，主持台灣第一個自製旅遊節目，有幸參與共寫解嚴後開放旅遊的歷史第一頁，一年內跑了十幾個國家；之後到美國念書兩年，又嫁了個超愛旅行的

老公，從此每年有三分之一以上的時間都在旅途中。

二十年來，旅行，就是我的生活。因為這樣，兩個孩子小小年紀就跟著我跑遍了世界各地。

常有人問我：「帶小孩子出門不會很麻煩嗎？」「年紀那麼小玩過也不記得，這樣不是很浪費嗎？」

沒辦法，自己愛玩，只好扛著孩子和大包小包出門。我當然不會覺得浪費，因為要不是這樣，哪能留下這麼多跟孩子在一起，珍貴又有趣的回憶？不過麻煩還真是很麻煩，我從于珺三歲多第一次帶她到澳洲開始，為兩個孩子做了好多年的「挑婦」，身上總是背一大包，裡面從玩具、故事書、面紙濕紙巾、糖果飲料、各種常備藥、急救包到替換衣褲，一應俱全。

一輩子難忘的恐怖帳單

我還記得弟弟未滿三歲，于珺四歲多時，我們夫妻帶姊弟倆和朋友幾個家庭一起去加拿大和美國玩，那是我除了自己在印度做節目時，因吃壞肚子狂瀉瘦六公斤那次以外，最辛苦的一趟旅程。

孩子們從第四天路易斯湖開始感冒發燒，幾乎每天不是哭，就是昏睡，一路上又背又抱十幾公斤的孩子，讓我累得根本沒有辦法好好遊玩和欣賞風景。

從加拿大卡爾加里飛往紐約的飛機上，于珺因為不舒服吐了一身。她那一套衣服的上身是純毛料的毛衣，褲子是絨布的，當時換下以後不敢自己水洗，怕洗壞了，所以到紐約四季飯店以後，剛進旅館手忙腳亂，就匆匆忙忙的把髒毛衣和長褲送洗。

第二天，我們都在旅館休息沒出門，下午管家送洗好的衣服回來，我打開門，站在門口的管家捧著一個木製的深托盤，裡面的衣服疊得整整齊齊用棉紙包好，還繫上緞帶，飄著淡淡的清香，看起來就像是特地送來要讓我驚喜的禮物一般。

管家把帳單遞給我簽名，我拿來一看，除了洗衣費，還要收十幾趴的服務費、稅金、美金五元的「運送費」，以及……一個大大的等著我寫數字的空白欄位「小費」！

我想我簽字的時候臉應該是痛苦扭曲的……因為我花了八十幾元美金洗了一件台幣一千多的小孩毛衣和一條九十九元的地攤長褲……早知道還要加這麼多XX費，買兩套新的都還有剩，我就隨便亂洗了！

旅行，教給孩子的

儘管兩個孩子對小學低年級以前的旅遊都沒什麼印象，我還是相信，在孩子的成長過程中，豐富的「經驗」是很重要的，因為**新鮮的事物可以讓孩子發育中的頭腦得到更多的刺激**。

對大一點的孩子，異地旅遊可以開闊孩子的視野、激發好奇心和訓練觀察力；情

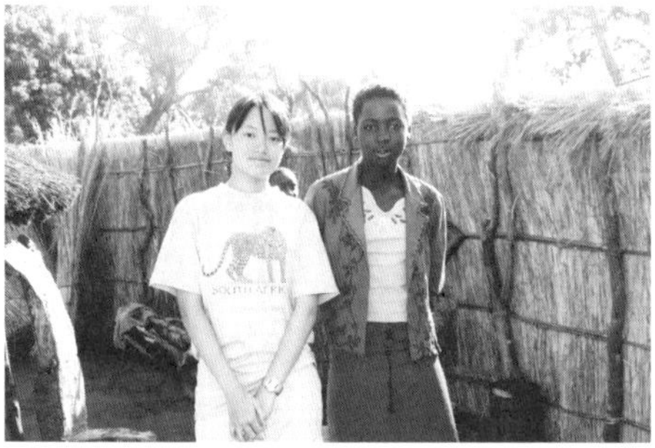

和于珺同樣年紀的女孩。

家徒四壁的非洲村落。

境的巨大改變，可以讓人全身細胞機敏活化，處於五感敏銳、像海綿般有著巨大吸收力的狀態下，也可以學習到如何改變看事情的角度，跳出固定的思考框架。

對于珺和偉庭來說，印象最深刻的旅行應該是二〇〇六年的南非獵遊之旅。在保護區內五天四夜，貼近觀察非洲的五大動物、親眼目睹動物獵食的畫面、體會「朝穿皮襖午穿紗」的急遽氣溫變化，都是令人難忘的經驗。

好友於行程外特地安排一群孩子前往尚比亞的一個村落參觀，孩子們看到了什麼叫做「家徒四壁」，看到了村中的孩子只能用膠帶把舊報紙捆成足球踢。

于珺在那裡見到一個同樣年紀的十五歲女孩，和四個姊妹擠一個約一坪大的小茅屋，沒有自來水，當然也沒有廁所。那個女孩只讀了七年書，因為那是村子裡所能提供的最高教育，而她每天的生活，就是從河裡挑水回家、煮飯、洗碗、洗衣和修理器具。

雖然于珺從小讀書很認真，但我想那是她第一次感受到，能夠持續接受教育是很幸運的。

對我而言，親子旅行則提供了我對孩子進行密集生活訓練的最好機會。

孩子上幼稚園以後，除了週末以外，其實很少能整天和孩子相處，在家時，大人又常常因各種生活雜事而忙碌。上小學以後的孩子作息更是緊湊，課後總有做不完的功課和一大堆的才藝課，旅行是難得的喘息時間和強迫性的二十四小時接觸，因此我常會利用這種時候，仔細觀察孩子一段時間來的變化，並善用這個機會對孩子進行情境教育。

為了減輕我自己旅行中的負擔，于珺四歲以後，我就訓練她幫忙照顧弟弟，也讓他們隨著成長，慢慢接手自己可以處理的事。

藉由旅行，他們可以印證教科書中各地的歷史地理知識，親身體會不同的文化與生活。我讓他們從行程中練習零用錢的管理，也在郵輪旅行的時候，教他們用餐和服裝的國際禮儀。孩子大了以後，旅行時，晚上睡前在旅館比較不會有雜事干擾，我們還會趁機全家在一起做比較深度的談話。

什麼都不怕的「高大膽」

從旅遊活動中我發現，弟弟從小對冒險性的活動比較謹慎退縮，反倒是于珺，膽子很大什麼都敢嘗試，我們才知道其實在她安靜沉穩的外表下，有相當活潑好奇的心。

她除了怕小強以外，什麼都不怕，蜘蛛、蠍子、蜥蜴、蛇通通都敢玩，也很勇於挑戰各類危險刺激的活動，所以我們都叫她「高大膽」。

南非行在約翰尼斯堡，她要求我們帶她去報名參加高空跳傘，當天飛機故障臨時取消，讓本來很緊張的爸爸鬆了一口氣，沒想到她又逼我們陪她去「跳樓」——那是一種叫「Rap Jumping」的活動——參加者必須從二十幾層樓高的大樓樓頂，靠繫在腰上一條粗繩的摩擦力，沿著大樓外牆，臉朝地面「走」下來！

因為旅行，我們有很多有趣的共同回憶和話題。

二〇〇三年暑假，我們計畫了一個長達一個月的「大旅行」，從日本北海道一路玩到九州。那一次的經驗，讓我們愛上了夏季在北海道騎腳踏車，所以二〇〇五年夏天，我們又再安排一次日本大旅行，行程略有不同，但還是去了北海道美瑛騎了好幾天腳踏車。

由於出發前，我都會要求孩子先對目的地做點功課進行了解，第二次那一趟排行程時，于珺跑來問我們：「北海道的函館夜景是不是很有名？」

爸爸回答：「對啊，號稱百萬夜景呢！你想去看嗎？」

于珺說：「好啊！」

日本GLAY藝術館。

爸爸聽了非常高興，覺得孩子行前有深入研究值得獎勵，因此決定把上次去過的札幌從行程中剔除，改去函館。

後來我們一到函館，于珺忽然自己對司機兼導遊的日本叔叔說：「請問GLAY藝術館在哪裡（GLAY：日本三大傳奇搖滾樂團之一，團員出身函館）？我們可以去嗎？」

我們兩老這才發現，原來我們被設計了！

因為于珺知道，如果她為了一個搖滾樂團直接要求爸爸特地到函館的話，爸爸一定不會答應！

旅行前，必要的「暖身」

一般來說，行程、地點都是我們決定，不過孩子國中畢業以後，我們也會參考孩子的意見。像這些年來去法國巴黎和普羅旺斯、捷克和蒙古，都是于珺的建議。

帶孩子出國旅行，在家裡要先有一些基本能力和安全常識的訓練，當然最重要的是外語溝通能力，所以我從孩子兩歲起，就開始讓他們接觸英文並持續加強。

出去旅遊的時候，我希望他們很專注認真的玩，好好全心的從旅遊的過程中享受經驗、滿載收穫。即使我會准許他們帶書和電動玩具，但只限於候機候車或晚上在旅館內的空檔時間。在參觀景點或導遊解說時，我不允許小孩自己看書或玩遊戲機，我會提醒他們：「我們不需要花這麼多機票錢，飛到外國看你自己的小說或玩PSP。」即使以前他們年紀太小可能看不懂或聽不懂，我也會選擇他們應該可以理解的重點為他們翻譯解說。

奧地利薩爾斯堡之行。

為了提高他們對目的地的好奇感與熟悉度，行前我會找一些資料給他們「暖身」，像一九九八年我們去奧地利薩爾斯堡，參加為期一週的國際活動，出門前一個月，我讓兩個還在幼稚園的孩子看了十幾遍的電影《真善美》、聽莫札特音樂和讀音樂家的故事。

現在經濟條件許可的家庭，很多都有利用寒暑假全家旅遊的習慣，不過朋友們最羨慕我的，是我竟然還可以常常把孩子丟下不管，自己和先生出國。這當然必須感謝我的「婆婆媽媽」。

婆婆非常開明，甚至在我剛生孩子時就提醒我，「孩子以後都是別人的老公老婆」，雖然一定要盡心照顧，但千萬不要為了孩子，忽略了夫妻關係的經營。我母親則非常辛苦，每次我出國時，都會住在我家幫忙照顧孩子，讓我可以完全的放心。

為了讓幫忙的人能夠很清楚如何接手協助，每次我出門，都會製作簡單明瞭的作息表給所有人，詳列孩子每一天的活動作息，用不同顏色標示不同的人需要注意到的部分，並表列包括導師在內，萬一有緊急狀況需要聯絡時，所有相關人士的電話號碼。

當然，並不是一定要出國才是「旅行」。每個家庭都有自己共創親子回憶的方式與選擇，不論是國內旅遊或是郊遊行程，都可以有抽離常態環境的刺激效果。

像我一位好友的先生，幾年前，曾帶著讀小學的兒子一起去東海岸騎單車旅行五天，兒子回來後，把整個父子相處的過程以文字和繪畫記錄下來，製作成小書當暑假作業交，結果被老師選去參加台北市兒童深耕閱讀活動比賽，得到特優。

對父母來說，不為比賽也沒有功利目的的意外收穫，讓滿是自然互動的親情回憶，更增添了甜蜜的驕傲。

教養意見不同時，如何與長輩溝通？

我記得孩子學齡前我帶他們上很多才藝課，每天接接送送，似乎忙得不可開交。

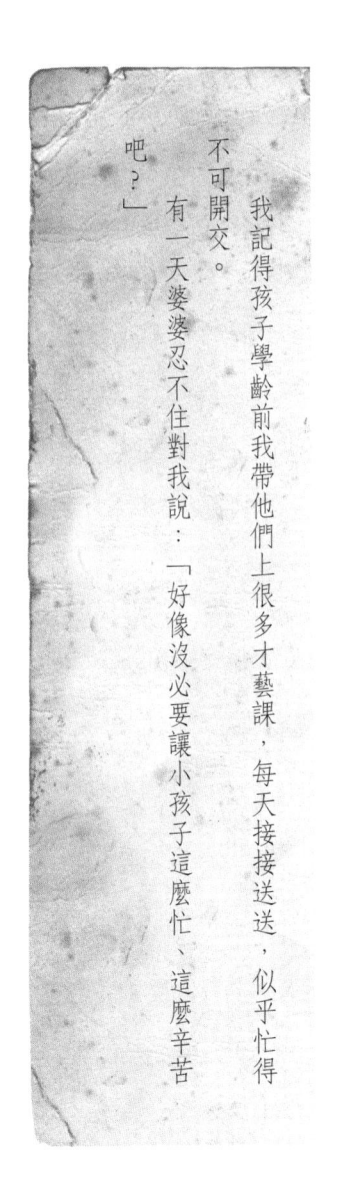

有一天婆婆忍不住對我說：「好像沒必要讓小孩子這麼忙、這麼辛苦吧？」

這輩子影響我最大的兩個女人，一個是我媽媽，一位是我婆婆。在不同的人生階段，我從她們身上學到了很多。母親養成我的習慣與人生態度，婆婆教導我不少待人接物的道理與方法。

近年來，在演講親子相關主題的場合上，常會被問到，若跟長輩因教養觀念的不同而意見相左時，到底該如何處理。問我這一類的問題，就好像問我該如何對待叛逆期的孩子一樣，由於我很少有這方面的困擾，真的沒什麼「經實驗證明」有效的解決我的公公與婆婆。
我覺得兩個孩子能在爺爺奶奶、外公外婆的陪伴下成年，是最幸福的事。

良方。想來想去，只好拿我婆婆的例子出來，希望能提供大家作為參考。

「重建犯罪現場」

或許因為我婆婆和我媽媽都是勤管嚴教型的母親，在教養的基本觀念上，我們都是一致的，沒有什麼難以溝通的大困擾。

我剛結婚到孩子上小學前，有很多年都跟公婆住在一起，當時我自己帶孩子，只有偶爾有事時，才拜託婆婆幫忙看一下。還好婆婆也

主張孩子一定要教不可以寵，所以孩子們都知道爺爺奶奶雖然疼他們，但當他們做錯事的時候，老人家絕對不會不辨是非的成為他們的靠山。

婆婆在這方面有很清楚的認知，她說孩子是我們的，所以在教養的觀念與做法上，一切以年輕人的意見為主。

婆婆很有意思，孩子小的時候，每當孩子在她那兒玩，若有不乖的情形，她會用內線電話打給我，「通知」我去把小孩「領回管教」，有時也會直接「拎」回來叫我修理。

她常開玩笑說：「老灰阿已經夠顧人怨，要保持慈祥和藹的形象，孫子才會喜歡跟老人家在一起。」所以她建議，即使小孩子在她面前犯錯，還是交由我來處罰，我當然欣然同意。

如果我不在家時發生狀況，我一回到家，婆婆就會「重建犯罪現場」，一五一十的把「嫌犯」調皮搗蛋的經過講給我聽。這樣一來，孩子很快就會明白，即使媽媽不在，不守規矩也難逃制裁。這一點，我真的很感謝婆婆的明理與用心。

當然，她有不同意見時也會很客氣的提出來，如果我覺得有道理就會修正自己，但若我聽了之後還是想堅持自己的做法，我會盡量向她說明我這麼做的原因，婆婆都會尊重，從不一再嘮叨或強力干涉。

我記得孩子學齡前，我帶他們上很多才藝課，每天接接送送，似乎忙得不可開交，有一天婆婆忍不住對我說：「好像沒必要讓小孩子這麼忙、這麼辛苦吧？」

我對婆婆解釋，現在的孩子生活在小家庭，家裡活動空間小、家庭成員少，又比較缺乏同年紀的玩伴，不像我們那個年代，每天都有好多親戚或街坊鄰居的孩子可以玩在一起。出去上上課，除了讓他們接觸不同的才藝，還可以給他們更多人際互動的刺激，學習跟別人相處。

反正我沒有上班，我的目的也不在讓他們學到什麼了不起的才藝，他們願意去、玩得開心我就帶，如果有他們不喜歡上的課或覺得太累，我絕對不會勉強。

過了一陣子之後，她自己跑來笑著對我說：「我發現我姊姊孫子的行程比我們家那兩個更忙！原來現在小孩子的生活都是這樣啊！」

她非常開明，很清楚現在的社會環境跟過去大大不同了，有一些觀念她自己必須跟上時代，所以有時我跟她說明過之後，她就會從媒體或周邊的人去觀察了解。發現自己的觀念過時，她也非常樂於承認與檢討，這種度量的確不簡單。

大家族的相處智慧

我覺得剛進入婚姻關係的年輕一輩，有點像小孩子以新成員的身分加入一個家庭一樣，其實可塑性還是很高。長輩有許多值得學習的智慧與經驗，若能放開心胸，不固執己見，用心思考相處之道，給予社會經驗和家庭經營概念不足的晚輩合理的引導與對待，共同建立起新的生活互動模式，對長期的和諧相處非常有幫助。

我有一位好朋友，曾經向我抱怨她婆婆常常拿著弟媳送的禮物來秀給她看：「你看，這是XX出國買給我的東西。」她非常不高興的說：「我不知道婆婆給我看的目的是什麼，難道她希望我跟弟媳比賽，看誰比較會買禮物討好她？」有些老人家以為，激起子女兒媳的競爭心可以讓孩子更孝順，卻不知道這樣的挑撥行為反而會弄得

手足失和，給自己帶來更多的麻煩。

在這方面，我覺得我婆婆很有智慧。她自己是么女，年紀輕輕就嫁入大家庭，加上我公公在兄弟中也是年紀最小，雖然她在娘家婆家和大家相處都和諧愉快，但從婆家兄嫂和娘家兄姊與下一代的家庭關係中，觀察出不少「前車之鑑」的心得。

她覺得家庭手足的相處，很多爭執與問題，都出在「不公平」所引發的怨妒與不愉快上，所以在做很多事情的安排時，一定要盡量仔細的想出最公平的做法。

我先生只有一個弟弟。我記得我剛結婚時，婆婆已經把小叔那一份訂婚珠寶都準備好了，跟我拿到的一模一樣，而當時小叔連交往的對象都還沒有。

我覺得很奇怪，問她為什麼要這麼做。婆婆說，她曾經看到親戚中下一代的媳婦們，因為娶進門的時間相隔太遠，訂婚的珠寶在內容和價值上有差異，因此鬧得不愉快。

她想了想，在不同的時間即使買相同的東西，價值也可能不同，比方說同樣一兩金子，相異的時間點買價格就不一樣，到底該怎麼做才好呢？唯一最公平的做法，就是同時購入一模一樣的東西。

我問她：「那萬一他不結婚怎麼辦？」她說：「這是父母給孩子準備的結婚禮物，到某個年紀以後他確定不想結婚，就送給他自己處理啦！」

雖然當時覺得，婆婆未免心太細也想太多，但自己這麼多年下來，社會經驗豐富了，才知道這真是智慧與經驗的心得結晶啊！

許多親友長輩十分羨慕我公婆，認為他們實在很好命，我們家兄弟妯娌能夠相處和睦、不猜疑不計較。其實，我認為這是公公婆婆用心經營的結果，所以當我有一些好朋友的孩子要婚嫁，我也會提供我婆婆在許多事情上的實際做法給大家參考。連我自己在帶孩子的過程中，也時時提醒自己，**父母對待孩子，不論在時間、態度或物質上，都一定要注意公平性。**

我們常常在新聞上看到一些豪門的爭產恩怨，不免感嘆好像沒有錢，兄弟姊妹的感情反而比較好？其實這不是錢多錢少的問題。「不患寡而患不均」，雖然很少人能具備所羅門王的大智慧，但家和萬事興，為人父母者，一定要記得，時時把一個公正公平的秤放在心中。

學會放手

二〇一〇年九月于珺史丹佛開學前，協助她安頓完畢之後，我們與她道別，女兒從那一刻起正式開始四年獨立的大學生活，我們則前往舊金山附近的大哥家小住兩晚再返台。

當天晚上大嫂一見到我，立刻十分激動的問道：「你有沒有哭？」「哭？你是問我嗎？」

我一臉愕然：「為什麼要哭？」

不久前，我的國中英文老師從美國回來，由於她已闊別台灣三十年，能夠見到老師，讓同學們都非常興奮。我們約在一位同學的工作室聚餐，大家閒話家常，十分開心，生命的熱度總在久別重逢的時刻再度沸騰起來。

席間一位同學聊起網路上非常流行的一個心理測驗，簡單而有趣。題目如下：

想像著你的眼前有一望無際的沙漠，而你，必須橫越這片沙漠。不過你不是單獨一個人，你身邊還有一個背包和三隻動物，這三隻動物分別是猴子、小鳥、蛇。

想像一下：你、背包、猴子、小鳥和蛇。

你們會怎樣一起渡過這一片沙漠呢？請描述你心中的畫面。

（親愛的讀者，如果您還沒有做過這個心理測驗，請您先想出自己的答案，再繼續往下讀。）

謎底揭曉前，我們每個人都先說出了自己的答案。

十幾個同學，想像出來的情景各不相同。有人把所有動物放進背包裡，背在身上，有人讓猴子背背包，有人把猴子抱在身上，有人不要蛇，有人放蛇在地上爬，有人讓小鳥停在肩上，也有人用繩子綁著小鳥讓牠飛。結果答案說明如下：

背包：代表責任

蛇：代表金錢

猴子：代表另一半

小鳥：代表小孩

當場大家都覺得很好玩，因為是多年的老同學，互相對個性都有些了解，不由得

感到這麼簡單的測驗，結果竟然還滿耐人尋味的。

其中有一位同學什麼都不要，連背包也扔下，她的個性果然最自由自在，至今未婚也沒有孩子，連父母都不是她的負擔。

至於我自己，我選擇把背包背在身上，牽著猴子，將蛇抓在手上把玩。至於小鳥，就讓牠自由飛翔吧！

有趣的是，我也覺得這真的是我對親子之間應有關係的看法。有同學把小鳥裝進袋裡，有的想讓鳥停在肩上，有的甚至讓鳥站在頭上。也有人認為鳥會亂飛，所以要緊緊抓在手上，或是即使讓牠飛，也要用繩子繫住。

天下的父母都關愛子女，但對未來的期待和想像卻不相同，因此教養孩子的態度方式也很不一樣。

和女兒分開，你有沒有哭？

二〇一〇年九月于珺史丹佛開學前，協助她安頓完畢之後，我們與她道別，女兒從那一刻起，正式開始四年獨立的大學生活，我們則前往舊金山附近的大哥家小住兩晚再返台。

當天晚上大嫂一見到我，立刻十分激動的問道：「你有沒有哭？」

「哭？你是問我嗎？」

我一臉愕然：「為什麼要哭？」

我很仔細的回想當時的情景：「我們母女很高興的說拜拜、take care，然後就各自閃人啦！」

大嫂以不敢置信的表情看著我：「我認識的所有媽媽在孩子離家say good-bye時，都會哭吔！我女兒大學畢業了要到紐約工作，我送她到機場，上飛機前，她還抱著我大哭呢！」

她聳聳肩，對我做了一個鬼臉：「小孩不哭很正常，媽媽沒哭的還真少見。」

飛離舊金山，本以為「你有沒有哭」事件就此落幕，沒想到我一回台灣，許多親朋好友見到我的第一句話就是：「和女兒分開時，你有沒有哭？」

眾人聽說我們母女都沒掉眼淚這個情況後，都大吃一驚，我這才知道，原來幾乎所有媽媽送兒女出遠門讀書，道別時都會哭！

其實我平常哭點很低，電視、電影一點陳腔濫調的肥皂情節也能讓我淚如雨下，為什麼女兒要離開身邊，自己卻不會難過傷心？這下我有點困惑了，難道我真的是一個沒有感情的怪媽媽？

我故意在Skype上問女兒：「你這個小孩怎麼這麼沒感情，跟媽媽分開，不但沒流半滴眼淚，還好像很高興的樣子？」

她作昏倒狀：「拜～託～，我再過兩個月，聖誕節就要回去了啊！」

關於我們這一對怪異母女與眾不同的反應，各類三姑六婆的「心理分析」中，我聽到最令我感到鬆一口氣的說法是：「你們母女都很獨立，互相也很放心，有足夠的安全感，所以分離沒有焦慮。」

教養，是為「放手」做準備

孩子小的時候，我和我先生就常出國旅行，把他們留在家裡。我常開玩笑說，我出國不會想念孩子，但會擔心狗，這是真的。

孩子小學高年級以後，我對他們還滿放心的，覺得自己對他們的訓練應該已經足夠，他們的狀況不會太離譜，也不怕他們餓到肚子或被欺負。但我會擔心KULI，因為我從來沒機會讓牠

于珺剛搬到史丹佛宿舍。

學習求生技能，牠沒有辦法照顧自己，去狗旅館或狗學校萬一被虐待了，無法告狀，也沒有處理的能力。

很多人對孩子漸漸長大，不再事事聽話，不再黏著父母，非常不能適應。我覺得自己沒有這方面的問題，因為**從我生下孩子開始，我就有意識我所做的一切，都是為了讓孩子學習獨立**、為了有一天他們將要離開我而做，所以不論在心態上或行為上，我從來不黏孩子。

即使在他們小時候我採取緊迫盯人的嚴格教養方式，目標終究也是為了讓自己能夠盡早「放手」。

媽媽變成壞媽媽？

于珺小四的時候，曾經在一篇週記中說，她覺得「媽媽最近變得好奇怪，因為即使到了成語競試前一天，媽媽也在自己房間裡看報紙」，沒像以往那樣幫她複習。當時她跑來問我為什麼，我開玩笑回她說：「我變成壞媽媽了！」她很緊張的對老師說，如果媽媽真的變成不管她的壞媽媽，她可就慘了。

當時老師針對這一篇週記寫了一段話，我覺得很有意思，還特地留了下來：

于珺：如果你的媽媽算是「壞媽媽」的話，那相信天下就沒有好媽媽了！老師猜

一定是鳥媽媽認為小鳥兒已經夠獨立、能自治了，所以要放你單飛。試試看吧！

孩子上高年級以後我常提醒他們，讀書是自己的事，做父母的不可能一輩子跟在他們身邊陪讀和幫忙解決問題。

學習的困難是生活上最初級的試煉，一定要藉此練習找出自己的解決方法。自己鑽研、問同學、請教老師都可以，但必須要即時而有效率的面對問題，萬一自己試過實在覺得很困難無法解決，那就要趕快提出求救訊息，我們再一起研究對應的方法。

父母永遠會是他們最大的後盾與支持力量，但平時一定要好好鍛鍊自己處理問題的能力。

我的個性比較乾脆，我說不管就不會再囉唆。我認為青春期以上的孩子已經開始需要有隱私，並受到尊重，孩子若從小已經有了不錯的基本觀念和生活習慣，做父母的只要持續觀察與關心，但沒有必要掌控孩子的一切大小細節，應該漸漸由控制主導的角色轉為輔導與支援。

孩子上高中以後，基於對他們的信任與尊重，我進入他們的房間一定先敲門，我也從不偷看他們的書包、信件或私人紀錄。

父母應該要關心了解孩子的生活狀態，從很多的生活細節去留意孩子的行為與情緒變化，但**與其花時間跟在孩子屁股後面管東探西，不如多充實一些與孩子溝通的「技能」**。

女兒曾經告訴我，她朋友聽說我是臉書和噗浪的「老手」，覺得她的媽媽「很酷」。

了解並跟上社會的新趨勢與潮流，比較能體會孩子的心情與心態，自然不會一味的把孩子青少年期的轉變與行為解釋為叛逆或不務正業，也比較容易找到共同的話題與想法上的共鳴。

高于珺錄取美國七大頂尖名校通知書

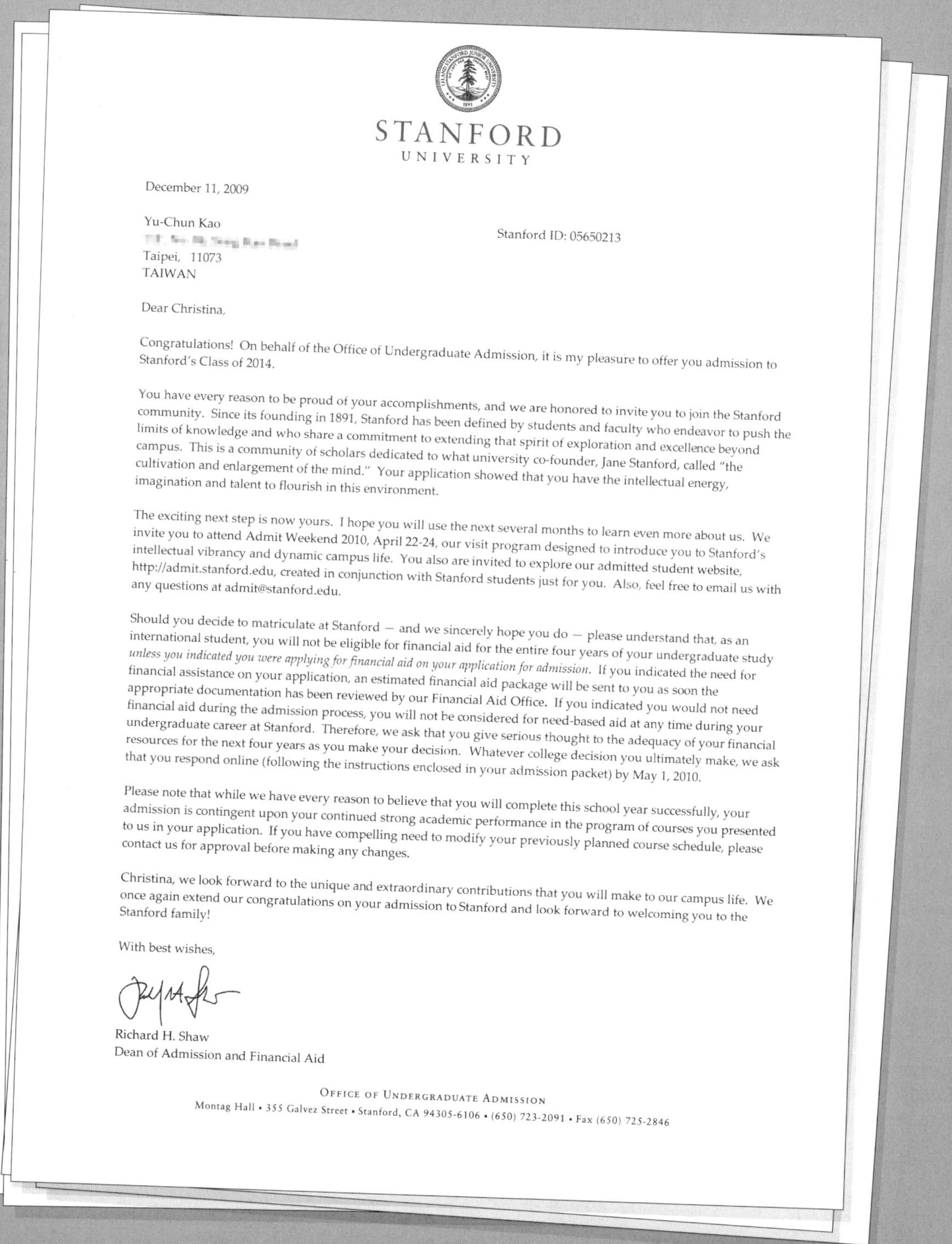

STANFORD
UNIVERSITY

December 11, 2009

Yu-Chun Kao
[illegible]
Taipei, 11073
TAIWAN

Stanford ID: 05650213

Dear Christina,

Congratulations! On behalf of the Office of Undergraduate Admission, it is my pleasure to offer you admission to Stanford's Class of 2014.

You have every reason to be proud of your accomplishments, and we are honored to invite you to join the Stanford community. Since its founding in 1891, Stanford has been defined by students and faculty who endeavor to push the limits of knowledge and who share a commitment to extending that spirit of exploration and excellence beyond campus. This is a community of scholars dedicated to what university co-founder, Jane Stanford, called "the cultivation and enlargement of the mind." Your application showed that you have the intellectual energy, imagination and talent to flourish in this environment.

The exciting next step is now yours. I hope you will use the next several months to learn even more about us. We invite you to attend Admit Weekend 2010, April 22-24, our visit program designed to introduce you to Stanford's intellectual vibrancy and dynamic campus life. You also are invited to explore our admitted student website, http://admit.stanford.edu, created in conjunction with Stanford students just for you. Also, feel free to email us with any questions at admit@stanford.edu.

Should you decide to matriculate at Stanford — and we sincerely hope you do — please understand that, as an international student, you will not be eligible for financial aid for the entire four years of your undergraduate study *unless you indicated you were applying for financial aid on your application for admission.* If you indicated the need for financial assistance on your application, an estimated financial aid package will be sent to you as soon the appropriate documentation has been reviewed by our Financial Aid Office. If you indicated you would not need financial aid during the admission process, you will not be considered for need-based aid at any time during your undergraduate career at Stanford. Therefore, we ask that you give serious thought to the adequacy of your financial resources for the next four years as you make your decision. Whatever college decision you ultimately make, we ask that you respond online (following the instructions enclosed in your admission packet) by May 1, 2010.

Please note that while we have every reason to believe that you will complete this school year successfully, your admission is contingent upon your continued strong academic performance in the program of courses you presented to us in your application. If you have compelling need to modify your previously planned course schedule, please contact us for approval before making any changes.

Christina, we look forward to the unique and extraordinary contributions that you will make to our campus life. We once again extend our congratulations on your admission to Stanford and look forward to welcoming you to the Stanford family!

With best wishes,

Richard H. Shaw
Dean of Admission and Financial Aid

OFFICE OF UNDERGRADUATE ADMISSION
Montag Hall • 355 Galvez Street • Stanford, CA 94305-6106 • (650) 723-2091 • Fax (650) 725-2846

Yale University

Office of Undergraduate Admissions
P.O. Box 208234
New Haven, Connecticut 06520-8234

Campus address:
38 Hillhouse Avenue
Telephone: 203 432-9316
Fax: 203 432-9392

April 1, 2010

Ms. Yu-Chun Kao
[redacted]
Taipei 11073 Taiwan

Dear Yu-Chun,

Congratulations on your admission to Yale College, Class of 2014! It gives me great pleasure to send you this letter. You have every reason to take pride in the accomplishments and hard work that have brought you to this moment.

On the folder that holds your admissions materials, you will find the words of the late George Pierson, a professor and official historian of the university: "Yale is at once a tradition, a company of scholars, and a society of friends." In evaluating candidates for admission to Yale College, the Admissions Committee seeks to identify students whose academic achievements, diverse talents, and strength of character will make them feel at home in this remarkable community. We look forward to your becoming a vital contributor to the university's life and mission.

On April 19th, 20th and 21st, most of your future classmates will … portion of Bulldog Days, our program for … register for Bulld…

HARVARD COLLEGE | Office of Admissions and Financial Aid

April 1, 2010

Ms. Yu-Chun Kao
[redacted]
Taipei, 11073
Taiwan

Dear Ms. Kao,

I am delighted to inform you that the Committee on Admissions and Financial Aid has voted to offer you a place in the Harvard Class of 2014. In accordance with Harvard tradition, a certificate of admission is enclosed. Please accept my personal congratulations for your outstanding achievements.

This year over thirty thousand students, a record number, applied for admission to the entering class. Faced with many more talented and highly qualified candidates than it had room to admit, the Admissions Committee took great care to choose individuals with exceptional character as well as unusual academic and extracurricular strengths. The Committee is convinced that you will make important contributions during your college years and beyond.

Our faculty and students extend a special invitation for you to visit Cambridge over the next few weeks. If you feel a visit would be helpful in making your final college choice, we hope you will take advantage of this opportunity. An invitation is enclosed.

We need to know by May 1 whether or not you plan to accept our offer of admission. You may respond online at https://admapp.admissions.fas.harvard.edu/hanevo/accepted-haServices.do or you may fill out and return the enclosed postcard. If you accept admission for this coming September, further information will be sent to you over the summer by the Freshman Dean's Office.

Each year some admitted students choose to defer entrance for a year and find their many and varied experiences extremely rewarding. If you would like to defer, please inform us of your intention by logging in to the online response website (above) to register your deferral. More information about deferring admission can be found at http://www.admissions.college.harvard.edu/apply/time_off/ .

Among the enclosed materials you will find a final School Report Form, which must be completed by your … at the end of this academic year. The Committee on Admissions reserves the right to … postcard enclosed for your response.

PRINCETON UNIVERSITY

Admission Office
P.O. Box 430
Princeton, New Jersey 08542-0430

March 31, 2010

Yu-Chun Kao
[illegible]
Taipei 11073
Taiwan

Dear Christina:

Congratulations! I am delighted to offer you admission to Princeton's Class of 2014. Your academic accomplishments, extracurricular achievements, and personal qualities stood out in a record pool of more than 26,000 applications this year. We know from reading your file that you will take advantage of all Princeton has to offer, and the University will benefit from your many talents.

If you applied for financial aid, a letter from the Financial Aid Office is enclosed with this mailing. For those students who qualify for aid, the financial aid package contains a scholarship and a job. Our policy does not require students to take loans to finance a Princeton education. As a result, all Princeton students have the opportunity to graduate debt free. A member of the financial aid staff will be available to respond to any questions you may have.

You and your parents are invited to join us on April 15–17 or April 22–24 to learn more about the University through the Princeton Preview program. You may stay overnight in one of our residential colleges, attend classes with our outstanding faculty, and get to know current Princeton students. You [illegible] participate in the admitted students website at

UNIVERSITY of PENNSYLVANIA

PHILADELPHIA

April 1, 2010

Yu-Chun Kao
[illegible]
Taipei 11073, Taiwan

Dear Yu-Chun,

Congratulations! On behalf of the entire Penn community, it gives me great pleasure to invite you to attend the University of Pennsylvania as a member of the College of Arts and Sciences Class of 2014.

You and your fellow applicants are the strongest in Penn's distinguished history and I look forward to welcoming you to campus as part of the 258th graduating class since Benjamin Franklin founded the University.

Whether through your search for knowledge, devotion to service, or continuing engagement within your community, you will contribute to the vitality of Penn and Philadelphia. In your academic and personal pursuits you instinctively seek out connections across disciplines, and you excel at the highest levels. In all these ways, you already demonstrate commitment to the goals and philosophies of this University. Happily, this is only the beginning!

Office of Admissions

Massachusetts Institute of Technology
77 Massachusetts Avenue, Building 3–108
Cambridge, Massachusetts 02139–4307

March 14, 2010

Phone 617–253–3400
Fax 617–258–8304
admissions.mit.edu

Ms. Yu-Chun Kao
[redacted]
Taipei 11073
TAIWAN

Your MIT ID: **921309589**

Dear Yu-Chun,

On behalf of the Admissions Committee, it is my pleasure to offer you admission to the MIT Class of 2014. You stood out as one of the most talented and promising students in the most competitive applicant pool in the history of the Institute. Your commitment to personal excellence and principled goals has convinced us that you will both contribute to our diverse community and thrive within our academic environment. We think that you and MIT are a great match.

You'll likely have offers of admission from many fine schools, but we hope that you'll choose to enroll at MIT. You have until May 3, 2010 to let us know if you'll call MIT home for the next four years – please visit your MyMIT account to complete our official Reply Form. Until then, we look forward to building our relationship with you and to helping you to get to know us better. In the coming weeks, we'll be in touch via phone, email, and web.

Many of our students believe that the campus visit experience was the deciding factor in their choice to enroll at MIT. Therefore, we hope you will be our guest at Campus Preview Weekend (CPW), held on the MIT campus from **Thursday, April 8 through Sunday, April 11**. CPW is an excellent way to experience MIT student life firsthand. You'll go to classes, eat lots of food, join hallway conversations, and meet your future classmates. We encourage your parents to attend as well – please see the CPW website for all the information you'll need: http://www.web.mit.edu/admissions/cpw

If you can't come to CPW, please try to visit campus before May 3. To ... overnight or day visit with an undergraduate host ... your MyMIT account. If ...

COLUMBIA UNIVERSITY

IN THE CITY OF NEW YORK

COLUMBIA COLLEGE
THE FU FOUNDATION SCHOOL OF ENGINEERING AND APPLIED SCIENCE

March 31, 2010

Yu-Chun Kao
[redacted]
Taipei, 11073
TAIWAN

Dear Yu-Chun,

Congratulations! Dean Michele Moody-Adams and the members of the Committee on Admissions join me in the most rewarding part of this job — informing you that you have been selected for admission to Columbia College in its 256th academic year. As a member of the Class of 2014, you will be a participant in an academic community wealthy in intellectual and personal talents of every kind. We are fully confident that the gifts you bring to our campus will be unique and valuable and that your abilities will be challenged and developed here.

You and your family have every reason to be proud of the great achievements that we acknowledge today with this good news. We hope you will share your joy and excitement with the faculty at your school who have helped you reach this happy day.

The Columbia faculty, students and administration look forward to welcoming you into a community that thrives on our combination of a demanding curriculum, a diverse and talented student body, and a college town abundant in dynamism and opportunities. We know that you will contribute to the academic and personal excellence that has been the hallmark of Columbia students since 1754. The coming years at Columbia promise to be lively and joyful ones indeed as we continue to celebrate over 250 years of ...ment and distinction.

... you this fine honor, and we

新書簽講會

主題：梁旅珠教養書——教出錄取哈佛、史丹佛
七大名校女兒的教養祕笈

主講人：梁旅珠（明曜親子館負責人、呈熙文教基金會執行長）

【第一場】新北市圖書館

時間：2011年10月1日(六)下午2時

地點：新北市立圖書館總館地下1樓演講廳

（新北市板橋區莊敬路62號，（02）2253-4412 分機8652）

【第二場】明曜親子館

時間：2011年10月15日（六）下午3點

地點：明曜百貨親子館

（台北市忠孝東路四段200號10樓，（02）2777-1266 分機 701~702）

【第三場】臺北市立圖書館

時間：2011年10月23日（日）下午2點

地點：台北市立圖書館總館10樓會議廳

（台北市大安區建國南路2段125號）

洽詢電話：**02-27494988**（免費入場，額滿為止）

國家圖書館預行編目資料

梁旅珠教養書：教出錄取哈佛、史丹佛七大名校女兒的教養祕笈／梁旅珠著. --初版. --台北市：寶瓶文化, 2011. 08
面; 公分. -- (catcher ;46)
ISBN 978-986-6249-59-4 (平裝)

1. 親職教育　2. 資優兒童教育
528. 2　　100015849

catcher 046

梁旅珠教養書

——教出錄取哈佛、史丹佛七大名校女兒的教養祕笈

作者／梁旅珠
主編／張純玲

發行人／張寶琴
社長兼總編輯／朱亞君
主編／張純玲・簡伊玲
編輯／禹鐘月・賴逸娟
美術主編／林慧雯
校對／張純玲・陳佩伶・呂佳真・梁旅珠
企劃副理／蘇靜玲
業務經理／盧金城
財務主任／歐素琪　業務助理／林裕翔
出版者／寶瓶文化事業有限公司
地址／台北市110信義區基隆路一段180號8樓
電話／(02) 27494988　傳真／(02) 27495072
郵政劃撥／19446403　寶瓶文化事業有限公司
印刷廠／世和印製企業有限公司
總經銷／大和書報圖書股份有限公司　電話／(02) 89902588
地址／台北縣五股工業區五工五路2號　傳真／(02) 22997900
E-mail／aquarius@udngroup.com

法律顧問／理律法律事務所陳長文律師、蔣大中律師
如有破損或裝訂錯誤，請寄回本公司更換
著作完成日期／二〇一一年六月
初版一刷日期／二〇一一年八月二十六日
初版九刷日期／二〇一一年九月八日
ISBN／978-986-6249-59-4
定價／三二〇元

AQUARIUS 寶瓶文化事業

愛書人卡

感謝您熱心的為我們填寫，
對您的意見，我們會認真的加以參考，
希望寶瓶文化推出的每一本書，都能得到您的肯定與永遠的支持。

系列：catcher 046 **書名：梁旅珠教養書——教出錄取哈佛、史丹佛七大名校女兒的教養祕笈**

1. 姓名：__________ 性別：□男 □女
2. 生日：____年____月____日
3. 教育程度：□大學以上 □大學 □專科 □高中、高職 □高中職以下
4. 職業：__________
5. 聯絡地址：______________________________
   聯絡電話：__________ 手機：__________
6. E-mail信箱：______________________
   □同意 □不同意 免費獲得寶瓶文化叢書訊息
7. 購買日期：____ 年 ____ 月 ____日
8. 您得知本書的管道：□報紙／雜誌 □電視／電台 □親友介紹 □逛書店 □網路 □傳單／海報 □廣告 □其他
9. 您在哪裡買到本書：□書店，店名________ □劃撥 □現場活動 □贈書
   □網路購書，網站名稱：________ □其他________
10. 對本書的建議：（請填代號 1.滿意 2.尚可 3.再改進，請提供意見）
    內容：__________
    封面：__________
    編排：__________
    其他：__________
    綜合意見：______________________________
11. 希望我們未來出版哪一類的書籍：______________________

讓文字與書寫的聲音大鳴大放

寶瓶文化事業有限公司

（請沿此虛線剪下）

寶瓶文化事業有限公司　收
110台北市信義區基隆路一段180號8樓
8F,180 KEELUNG RD.,SEC.1,
TAIPEI.(110)TAIWAN R.O.C.

（請沿虛線對折後寄回，謝謝）

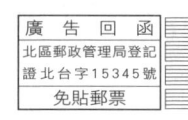